LLYFRAU CYMRAEG ENWOG

I 'nhad a'm mam

Argraffiad cyntaf: Mawrth 1997

℗ Y Lolfa/Glenys M. Roberts

Comisiynwyd y gyfres hon gan Gyngor Llyfrau Cymru. Dymuna'r cyhoeddwyr gydnabod cymorth adrannau'r Cyngor.

Cynllun y clawr: Elgan Davies

Rhif Llyfr Rhyngwladol: 0 86243 394 0

Argraffwyd a chyhoeddwyd yng Nghymru gan Y Lolfa Cyf., Talybont, Ceredigion SY24 5HE; ffôn (01970) 832 304, ffacs 832 782. e-bost yLolfa@netwales.co.uk y we www.ylolfa.wales.com

Hwylio 'Mlaen

LLYFRAU CYMRAEG ENWOG

Glenys Mair Roberts

Golygydd y Gyfres: Glenys Mair Roberts

CYNNWYS

Llyfr Aneirin a Llyfr Taliesin
Y Chweched Ganrif

GEIRFA

cyfansoddi	to compose
y chweched ganrif	the sixth century
Brythoniaid	Britons
dan bwysau mawr	under great pressure
canu	to sing, or to compose poetry; poetry, songs
llawysgrif	manuscript
goroesi	to survive
ysgolheigion	scholars
gwallau copïo	copying mistakes
ar lafar	orally
o genhedlaeth i genhedlaeth	from generation to generation

Llinell amser

580–600	Cyfansoddi 'Y Gododdin' a gwaith Taliesin i Urien. Cadw'r cerddi ar lafar
850–1000	Ysgrifennu'r testunau cyntaf – ond maen nhw wedi mynd ar goll, ynghyd â gwaith llawer o feirdd eraill, siŵr o fod
c. 1250	Ysgrifennu'r copi o *Llyfr Aneirin* sy yn Llyfrgell Caerdydd
c.1275	Ysgrifennu'r copi o *Llyfr Taliesin* sy yn y Llyfrgell Genedlaethol

Nid yng Nghymru y cafodd y farddoniaeth Gymraeg gynharaf ei chyfansoddi. Ddiwedd y chweched ganrif, roedd pobl de'r Alban a gogledd Lloegr yn dal i siarad Cymraeg. Ond roedd y Cymry (neu'r Brythoniaid) hyn dan bwysau mawr a'r Saeson yn ymosod yn galed arnyn nhw. Dyma pryd cafodd Canu Aneirin a Chanu Taliesin eu cyfansoddi.

Llyfr Aneirin

Bardd oedd Aneirin ac fe gafodd ei waith ei gadw mewn hen lawysgrif o'r enw *Llyfr Aneirin*. Dim ond un copi cynnar ohono sydd wedi goroesi, ac mewn inc coch ar y tudalen cyntaf mae'r geiriau 'Hwnn yw e gododin. Aneirin ae cant.' ('Hwn yw'r Gododdin. Aneirin ganodd/ gyfansoddodd ef.')
   Ond mae ysgolheigion yn credu mai copi yw hwn o lawysgrif gynharach – o'r nawfed neu'r ddegfed ganrif. Maen nhw'n gallu profi bod rhai pethau yn y llawysgrif yn wallau copïo. Ond os oedd Aneirin yn byw yn y chweched ganrif, beth ddigwyddodd rhwng y chweched a'r nawfed ganrif? Mae'n debyg bod y cerddi (y 'canu') wedi cael eu cadw ar lafar yn ystod y 300 mlynedd hyn, a'u pasio ar lafar o genhedlaeth i genhedlaeth. Mae'r un peth yn wir am Ganu Taliesin a gafodd ei gadw yn *Llyfr Taliesin*.

'Hwnn yw e gododin. Aneirin ae cant.'

Pwy neu beth, felly, oedd 'Y Gododdin' a pham oedd 'Y Gododdin' mor bwysig i Aneirin? Enw ar un o'r gwledydd Brythonig yn ne'r Alban oedd y Gododdin, ardal rhwng afonydd Forth a Tyne. Ei phrif ddinas oedd Caer Eiddyn – Caeredin neu Edinburgh heddiw. Y Gododdin hefyd oedd yr enw ar bobl y wlad.
   Tua diwedd y chweched ganrif, enw brenin y Gododdin oedd Mynyddawg Mwynfawr ('Mynyddog

Tudalen ffacsimili o Llyfr Aneirin (Llyfrgell Dinas Caerdydd)

y Cyfoethog'). Erbyn ei amser e roedd y Brythoniaid wedi colli llawer o dir i'r Saeson ac roedd Mynyddawg yn benderfynol o ennill peth ohono yn ôl. Ymhell i'r De, yn agos i Richmond heddiw, roedd lle pwysig o'r enw Catraeth (Catterick), ac roedd y Saeson wedi ei ennill. Cynlluniodd Mynyddawg i gael Catraeth yn ôl i'r Brythoniaid a bu'n paratoi am dros flwyddyn.

Casglodd Mynyddawg dri chant o'r milwyr ifanc gorau ym Mhrydain – SAS Brythoniaid y chweched ganrif – i'w lys yng Nghaer Eiddyn, a buont yn hyfforddi am flwyddyn. Roedd rhai yn dod o Wynedd ac o'r Deheubarth yng Nghymru, eraill o'r Alban ac o wlad Elfed ger Leeds. Rhan o'r paratoi oedd yfed llawer o win a medd – mae'n siŵr nad yw bywyd milwr wedi newid rhyw lawer! Ymhen y flwyddyn, cychwynnodd y trichant ar eu taith enbyd – i ganol gwlad a oedd yn berwi o elynion. Bu ymladd ffyrnig a chwerw am wythnos gyfan. Dim ond un o'r Brythoniaid ddaeth yn ôl o'r frwydr – Aneirin, y bardd.

Cerddi yn disgrifio'r hanes yma

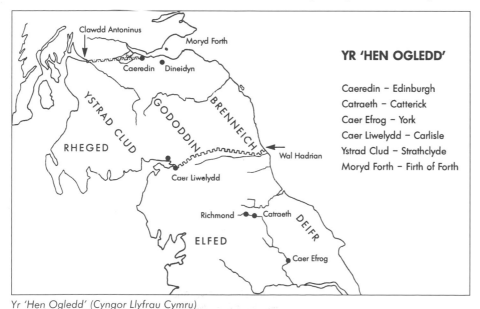

YR 'HEN OGLEDD'

Caeredin – Edinburgh
Catraeth – Catterick
Caer Efrog – York
Caer Liwelydd – Carlisle
Ystrad Clud – Strathclyde
Moryd Forth – Firth of Forth

Yr 'Hen Ogledd' (Cyngor Llyfrau Cymru)

canu mawl	to sing (the) praises (of)
gosgordd	retinue, escort, group of soldiers
hiraeth	longing, heartbreak
brwyn	rushes
gwrthgyferbyniad(au)	contrast(s), paradox(es)
rhialtwch	merriment
memrwn	parchment
hŷn	older
chwedl(au)	legend(s)
galluoedd goruwchnaturiol	supernatural powers
go iawn	real
ysgolhaig	scholar
gyrfa	career
marwnad	elegy
haelioni	generosity
dewrder	bravery
arweinydd rhyfel	war leader
erchyll	horrible, frightful

Mae llawysgrif *Llyfr Aneirin* yn cael ei chadw yn Llyfrgell Caerdydd, a *Llyfr Taliesin* yn Llyfrgell Genedlaethol Cymru yn Aberystwyth

ac yn canu mawl i'r milwyr a laddwyd yw 'Y Gododdin'. Weithiau mae Aneirin yn canu awdl (cerdd) neu ddwy i un milwr, ac weithiau i osgordd gyfan. Mae'n amlwg bod Aneirin yn adnabod llawer o'r dynion ifanc hyn. Mae yna hiraeth personol yn y cerddi – roedd Aneirin wedi colli llawer o ffrindiau yng Nghatraeth. Mae'n cofio un bachgen oedd yn swil iawn wrth siarad â merch ifanc yn y llys – ond a oedd yn torri ei elynion i lawr fel brwyn yn y frwydr.

Ac roedden nhw mor ifanc! Yr un yw hanes brwydrau a rhyfeloedd ar hyd yr oesau. 'Greddf gŵr: oed gwas' yw llinell gyntaf 'Y Gododdin' – 'Natur dyn, oedran bachgen.' Mae'r cerddi yn llawn o wrthgyferbyniadau trist tebyg. Un o'r llinellau mwyaf enwog yw 'Ac wedi elwch, tawelwch fu' – 'Ar ôl sŵn a rhialtwch, daeth tawelwch.'

Llyfr Taliesin
Cafodd y copi memrwn o *Llyfr Taliesin* sydd yn Llyfrgell Genedlaethol Cymru ei ysgrifennu tua 1275 yn ôl Syr Ifor Williams, ond mae hwn hefyd yn gopi o lawysgrif hŷn. Dim ond rhan o *Llyfr Taliesin* yw 'Canu Taliesin', hynny

yw, nid y bardd Taliesin a gyfansoddodd bopeth yn *Llyfr Taliesin*. Mewn gwirionedd fe dyfodd llawer iawn o chwedlau o gwmpas enw Taliesin ac mae llawer o sôn amdano mewn cerddi a chwedlau fel rhywun â galluoedd goruwchnaturiol.

Ond mae'n debyg bod yna fardd 'go iawn' o'r enw Taliesin, a'i fod yn byw tua'r un pryd ag Aneirin. Roedd Syr Ifor Williams, yr ysgolhaig Cymraeg enwog, yn credu ei fod wedi dechrau ei yrfa ym Mhowys – mae un gerdd yn *Llyfr Taliesin* i arglwydd Powys tua diwedd y chweched ganrif, sef Cynan Garwyn. Ond roedd yna frenin enwog iawn o'r enw Urien yng ngwlad Rheged (yn ne'r Alban a gogledd Lloegr heddiw), a chyn hir aeth Taliesin yno i ganu mawl iddo. Mae *Llyfr Taliesin* yn cynnwys wyth cerdd i Urien ac un farwnad i'w fab, Owain ab Urien. Cerddi mawl yw'r rhain. Bardd y brenin oedd Taliesin, ac fel cannoedd o feirdd cyn ei amser ac ar ei ôl, ei waith oedd moli'r brenin am ddau beth – ei haelioni mawr, a'i allu a'i ddewrder fel arweinydd rhyfel.

Mae llawer o'r llinellau yng Nghanu Taliesin yn ddramatig iawn a'r darluniau yn erchyll a gwaedlyd.

Mewn cerdd am frwydr Argoed Llwyfain mae'r llinell 'Rhuddai frain rhag rhyfelwyr' – 'Roedd y brain yn troi'n goch oherwydd (gwaed) y rhyfelwyr (y milwyr)'. Mae'r gerdd hon yn disgrifio brwydr erchyll rhwng Urien a'i fab Owain, a Fflamddwyn, arweinydd y Saeson. Ond mae'r cerddi'n grefftus hefyd. Cofiwch mai cerddi oedd yn cael eu hadrodd neu eu llafarganu oedd y rhain, a gwrandewch ar sŵn y llinellau:

Cysgid Lloegr, llydan nifer,
â lleufer yn eu llygaid.

'Mae milwyr Lloegr, nifer fawr ohonyn nhw, yn cysgu/gyda golau yn eu llygaid' – hynny yw, maen nhw'n farw a'u llygaid ar agor. Gwrandewch ar y geiriau a sŵn y cytseiniaid – mae'n rhaid bod meddwl am yr olygfa'n codi arswyd ar Daliesin.

Barddoniaeth Gymraeg ar ôl Aneirin a Thaliesin

Datblygodd y math yma o chwarae gyda sŵn geiriau ymhen canrifoedd yn *gynghanedd* – rhywbeth pwysig iawn mewn barddoniaeth Gymraeg. Aeth y traddodiad o ganu mawl ymlaen am ganrifoedd hefyd a daeth cynghanedd yn rhan bwysig ohono. Ond ar ôl cyfnod Aneirin a Thaliesin daeth canu'r 'Hen Ogledd' i ben. Yng Nghymru y byddai'r beirdd Cymraeg yn ennill eu bywoliaeth o hyn ymlaen. Canu mawl fyddai gwaith Beirdd y Tywysogion a Beirdd yr Uchelwyr tan yr unfed ganrif ar bymtheg (16g). Ond roedd rhai ohonyn nhw'n canu i ferched a byd natur hefyd. Yr enwocaf a'r mwyaf o'r rhain oedd Dafydd ap Gwilym, a oedd yn byw tua 1320-70, tua'r un amser â Chaucer yn Lloegr a Dante yn yr Eidal. Roedd Dafydd yn caru – neu'n ffansïo – llawer iawn o ferched, ond ei ffefrynnau oedd Dyddgu a Morfudd. Gallwch ymweld â bedd Dafydd ap Gwilym dan yr ywen yn Abaty Ystrad Fflur ger Pontrhydfendigaid yn Nyfed. Os gwnewch chi hynny, cofiwch fod Dafydd yn rhan o draddodiad hir a oedd yn mynd yn ôl i'r chweched ganrif, at gyfnod Aneirin a Thaliesin, a hyd yn oed ymhellach na hynny. Mae ymweld â'i fedd yn ein cysylltu ni â theyrnasoedd Cymraeg yr 'Hen Ogledd'.

GEIRFA	
gwaedlyd	bloody
crefftus	skilful
oedd yn cael eu hadrodd	which were recited
llafarganu	to chant
cytseiniaid	consonants
codi arswyd ar	to terrorise
datblygu	to develop
cynghanedd	intricate patterns of alliteration in Welsh poetry
traddodiad	tradition
yr 'Hen Ogledd' =	gogledd Lloegr a de'r Alban, pan oedd yr ardaloedd hynny'n dal yn 'Frythonig'
ennill eu bywoliaeth	to earn their living
Beirdd y Tywysogion	The Poets of the Princes (1100-1350 – er bod Llywelyn ap Gruffydd, tywysog olaf Cymru, wedi marw yn 1282)
Beirdd yr Uchelwyr	The Poets of the Nobility (1350-1650)
ywen	yew tree
cyfnod	time, period
teyrnas(oedd)	kingdom(s)

Llyfr Gwyn Rhydderch a Llyfr Coch Hergest
Yr Oesoedd Canol

Daeth y Mabinogion yn enwog yn Lloegr ar ôl i Lady Charlotte Guest eu cyfieithu i'r Saesneg a'u cyhoeddi yn 1846 ac 1877.

Dwy lawysgrif enwog arall o'r Oesoedd Canol yw *Llyfr Gwyn Rhydderch* a *Llyfr Coch Hergest*. Y ddau 'lyfr' yma sy'n cynnwys hen chwedlau enwocaf Cymru, gan gynnwys 'Pedair Cainc y Mabinogi' a 'Culhwch ac Olwen'.

Llyfr Gwyn Rhydderch yw'r hynaf. Mae ysgolheigion yn credu bod rhywun wedi copïo'r llawysgrif hon tua 1300, ond unwaith eto, mae'n debyg mai copi o fersiwn hŷn yw'r copi sydd yn y Llyfrgell Genedlaethol. Tua 1400 ydy dyddiad *Llyfr Coch Hergest*.

Pwy oedd yr awduron?

Mae'r storïau neu'r chwedlau yn *Llyfr Gwyn Rhydderch* a *Llyfr Coch Hergest* yn rhyfeddol. Ond pwy wnaeth eu hysgrifennu? Rydyn ni'n gwybod bod beirdd neu *gyfarwyddiaid* yn adrodd y storïau hyn a channoedd o rai tebyg iddyn nhw yn llysoedd brenhinoedd a thywysogion Cymru. Mae'r chwedlau eu hunain yn sôn am hynny. Gwydion oedd y 'cyfarwydd' gorau yn y byd, yn ôl y 'Pedair Cainc':

A'r nos honno, diddanu'r llys a wnaeth ar ymddiddanau a chyfarwyddyd, onid oedd hoff gan bawb o'r llys.

'A'r noson honno, diddanodd y llys â chwedlau a storïau nes roedd pawb yn y llys yn ei hoffi.'

O ble roedden nhw'n cael y storïau hyn? Nid o'u dychymyg eu hunain fel y rhan fwyaf o awduron heddiw. Mae'n sicr bod rhai pethau yn y storïau yn hen iawn, iawn. Mae olion, er enghraifft, o hen fytholeg y

'A fo ben, bid bont' – llun gan Margaret Jones o Bendigeidfran yn gorwedd ar draws afon Llinon (Cyngor Llyfrau Cymru)

Celtiaid ynddyn nhw. Roedd Gwydion yn un o blant yr hen dduwies Geltaidd, Dôn. Duwiau Celtaidd oedd Teyrnon, Rhiannon a Pryderi yn wreiddiol hefyd, a Lleu a Mabon fab Modron. Erbyn i'r chwedlau hyn gael eu hysgrifennu roedd y cymeriadau hyn yn debyg i ddynion a merched cyffredin mewn llawer ffordd. Ond roedd rhai pethau goruwchnaturiol ynglŷn â nhw o hyd. Chafodd Lleu mo'i eni'n naturiol. Gwnaeth Gwydion wraig iddo allan o flodau. A phan gafodd ei ladd gan Gronw Pebr, cariad ci wraig, wnaeth e ddim marw, ond troi'n eryr. Wedyn fe ddefnyddiodd Gwydion ei holl ddewiniaeth i'w gael yn ôl yn fyw eto.

Mae rhai pethau yn y storïau hyn yn debyg i bethau yn llên gwerin gwledydd eraill. Stori 'Merch y Cawr' yw un o'r prif themâu yn 'Culhwch ac Olwen'. Rhoddwyd tynged ar y cawr – bydd yn marw pan fydd ei ferch yn priodi. Felly mae'n gwneud ei orau glas i rwystro hynny.

Cafodd y storïau hyn eu hadrodd ar lafar am genedlaethau. Dros y canrifoedd mae'n rhaid bod llawer o bethau ynddyn nhw wedi newid. Byddai un cyfarwydd yn ychwanegu tipyn o'i ddychymyg ei hun a rhywun arall yn anghofio rhai pethau. Yna penderfynodd rhywun neu rywrai ysgrifennu rhai o'r storïau. Cafodd 'Pedair Cainc y Mabinogi' eu hysgrifennu rhwng 1050 a 1100, a 'Culhwch ac Olwen' tua 1100. Wyddon ni ddim pa mor agos ydyn nhw at y storïau llafar a glywodd yr awduron. Ond, yn sicr, fe roddodd yr awduron eu stamp eu hunain arnyn nhw. Aeth copïau gwreiddiol y storïau ar goll ond, yn ffodus, roedden nhw wedi cael eu copïo erbyn hynny yn *Llyfr Gwyn Rhydderch* a *Llyfr Coch Hergest*.

Pedair Cainc y Mabinogi

Fel mae'r teitl yn awgrymu, mae pedair rhan neu 'gainc' i'r stori hon. Mae'r 'gainc' gyntaf, 'Pwyll Pendefig Dyfed' (Pwyll, Tywysog Dyfed) yn agor gyda Pwyll yn mynd i hela ac yn eistedd ar fryn hud. Mae pethau rhyfedd yn digwydd i bobl sy'n eistedd ar y bryn hwn. Maen nhw naill ai'n cael rhyw ddamwain gas, neu maen nhw'n gweld rhyfeddod. Yn ffodus, gweld rhyfeddod mae Pwyll. Mae merch hardd iawn yn ymddangos ar gefn ceffyl. Mae Pwyll yn anfon ei ddynion ar ei hôl, ond bob tro maen nhw'n ceisio mynd yn agos ati hi, mae hi'n mynd yn bell,

Cafodd 'Pedair Cainc y Mabinogi' a 'Culhwch ac Olwen' eu cyfaddasu i Gymraeg diweddar gan Yr Athro Gwyn Thomas a'u cyhoeddi gyda lluniau gan Margaret Jones (Gwasg Prifysgol Cymru).

bell oddi wrthyn nhw. Yna mae Pwyll ei hun yn ceisio ei dal, ond yn methu. Yna, mae'n galw ar y ferch i aros. 'Wrth gwrs,' meddai hithau. 'Ac mi fasai wedi bod yn well i'r ceffyl taset ti wedi gofyn ers meitin!' Merch o Annwfn, y Byd Arall, yw Rhiannon, ond mae ganddi dipyn o hiwmor! Ac er bod Pwyll yn teimlo braidd yn dwp ar ôl hyn i gyd, mae'n syrthio mewn cariad â hi. Ar ôl tipyn o drafferthion yn Annwfn, mae'n ei phriodi. Mae Rhiannon a Pwyll yn cael mab, Pryderi.

'Branwen' yw'r ail gainc, a does dim llawer iawn o gysylltiad rhyngddi a stori Pwyll a Rhiannon. Mae Branwen yn chwaer i Bendigeidfran, cawr a brenin Ynys Prydain. Mae Bendigeidfran yn eistedd ar graig fawr yn Harlech un diwrnod yn edrych allan i'r môr, ac yn gweld llongau yn dod tuag ato ar draws y môr. Llongau Matholwch, brenin Iwerddon, ydyn nhw. Mae Matholwch wedi dod i ofyn am Branwen yn wraig. Mae Bendigeidfran yn cytuno ac yn cynnal gwledd briodas fawr i'r ddau. Yn anffodus, mae wedi anghofio gofyn i hanner-brawd Branwen, Efnisien. Dydy Efnisien ddim yn hapus o gwbl. Er mwyn dial mae'n torri clustiau a chegau ceffylau Matholwch. Mae'n rhaid i Bendigeidfran dalu'n ddrud i Matholwch mewn anrhegion er mwyn gwneud iawn am y sarhad. Un o'r anrhegion yw'r Pair Dadeni: os bydd person marw yn cael ei roi yn y Pair yma, bydd yn dod yn fyw eto – ond fydd o ddim yn gallu siarad.

Ar ôl rhoi'r anrhegion i gyd yn y llongau, mae Matholwch yn hwylio'n ôl i Iwerddon, ac mae Branwen yn hapus iawn yno am tua blwyddyn. Yn wir, mae Branwen a Matholwch yn cael mab bach, Gwern. Ond cyn hir, mae'r Gwyddelod yn troi'n gas wrthi hi. Maen nhw'n cofio beth wnaeth Efnisien i'w ceffylau ac yn penderfynu dial ar ei chwaer. Ac mae Matholwch yn gadael iddyn nhw wneud hynny! Maen nhw'n gwneud iddi hi weithio yn y gegin ac yn dweud wrth y cigydd am roi bonclust iddi hi bob dydd. Ei hunig ffrind yw'r ddrudwen sy'n dod at ffenestr ei charchar. Mae hi'n anfon y ddrudwen ar draws y môr i Gymru gyda neges i'w brawd, Bendigeidfran. Daw Bendigeidfran, y cawr, trwy'r môr i Iwerddon, gan dynnu ei lynges ar ei ôl. Mae o mor fawr nes bod y Gwyddelod sy'n ei weld yn cerdded trwy'r môr yn meddwl mai ynys yw ei ben ac mai dau lyn a mynydd yw ei lygaid a'i drwyn. Yn eu braw, maen nhw'n llosgi'r bont ar draws afon Llinon (Shannon) er mwyn ceisio rhwystro'r Cymry rhag croesi'r afon. Ond mae Bendigeidfran yn gorwedd ar draws yr afon ac yn dweud wrth ei ddynion am gerdded dros ei gorff i'r ochr arall. 'A fo ben, bid bont,' meddai. ('Os ydych chi'n arweinydd, rhaid i chi fod yn bont.' Hynny yw, rhaid i chi wasanaethu hefyd.)

Ond ar ôl llawer o ymladd, a llawer iawn o ladd ar y ddwy ochr, dim ond saith o'r Cymry, a Branwen, sydd ar ôl. Dônt yn ôl i Gymru, gan gario pen Bendigeidfran gyda nhw. Ar ôl cyrraedd Môn, mae Branwen yn edrych o'i chwmpas ac yn dweud:

Da o ddwy ynys a ddiffeithwyd o'm hachos i.

'Diffeithwyd dwy ynys dda o'm

hachos i.' Yna, mae'n rhoi ochenaid fawr ac yn torri ei chalon a marw. Caiff ei chladdu mewn 'bedd petryal' ar lan afon Alaw.

Hanes Pryderi a'i fam Rhiannon sy yn y drydedd gainc, 'Manawydan fab Llŷr'. Mae'r gainc yn adrodd hanes yr 'hud ar Ddyfed' pan ddiflannodd yr holl bobl a'r adeiladau yn Nyfed oherwydd bod Llwyd fab Cilcoed o Annwfn am ddial ar Ddyfed am beth wnaeth Pwyll, tad Pryderi i'w ffrind, Gwawl fab Clud. 'Math fab Mathonwy' yw'r bedwaredd gainc – mae'n cynnwys hanes Blodeuwedd, y ferch a wnaeth Gwydion o flodau yn wraig i Lleu Llaw Gyffes. Merch heb orffennol na dyfodol yw Blodeuwedd, a merch heb gydwybod, dim ond greddf.

Culhwch ac Olwen

Roedd ei phen yn felynach na blodau'r banadl a'i chnawd yn wynnach nag ewyn y don ... gwynnach na bron alarch gwyn oedd ei dwyfron. Oedd cochach ei deurudd na'r ffion. Byddai unrhyw un a'i gwelai yn llawn o serch ati. Tyfai pedair meillionen wen yn ôl ei thraed, ac am hynny, gelwid hi Olwen.

Dyna ddisgrifiad enwog awdur 'Culhwch ac Olwen' o Olwen, merch y cawr Ysbaddaden, mewn Cymraeg gweddol fodern. Yn anffodus i Culhwch, roedd ganddo lysfam, ac roedd hi wedi dweud mai Olwen oedd yr unig ferch iddo fo. Ond doedd Ysbaddaden ddim yn fodlon iawn iddo'i chael hi. Cyn cael Olwen yn wraig, meddai Ysbaddaden, byddai'n rhaid i Culhwch wneud 40 o dasgau anodd iawn (amhosibl, braidd). Yn ffodus i Culhwch, roedd ganddo gefnder pwerus iawn – y Brenin Arthur – a chafodd help marchogion Arthur gyda'r tasgau.

Dylanwad y chwedlau

Daeth Arthur, wrth gwrs, yn gymeriad pwysig iawn yn llenyddiaeth Ewrop. A chafodd y chwedlau i gyd ddylanwad pwysig ar lenyddiaeth Gymraeg. *Blodeuwedd* yw teitl un o ddramâu mwyaf Saunders Lewis, ac mae 'Drudwy Branwen' ac 'Adar Rhiannon' yn gerddi enwog gan R. Williams Parry a Gwenallt. Bu'r chwedlau yn boblogaidd fel testunau yn yr Eisteddfod Genedlaethol ar hyd y ganrif hon. Er enghraifft, yn 1902 enillodd T. Gwynn Jones y gadair gyda'i awdl enwog 'Ymadawiad Arthur', ac yn 1992 enillodd Idris Reynolds y gadair gyda'i awdl 'A fo ben'.

GEIRFA	
ochenaid	sigh
bedd petryal	rectangular grave
cydwybod	conscience
greddf	instinct
banadl	broom
cnawd	flesh
bron	breast(s)
(bronnau, dwyfron)	
alarch	swan
deurudd/gruddiau	bochau, cheeks
ffion	foxgloves
serch	love
meillionen	clover
yn ôl ei thraed	in her footsteps
gelwid hi	she was called
llysfam	step-mother
braidd	rather
marchog(ion)	knight(s)
dylanwad	influence
llenyddiaeth	literature

Os cewch gyfle i ymweld ag Oriel Ynys Môn yn Llangefni, ewch i weld y rhan sy'n disgrifio chwedl Branwen.

Y Beibl Cymraeg
1588

GEIRFA

cyhoeddi	to publish
cryn dipyn	quite a bit
er dyddiau	since the days of
Y Deddf Uno	The Act of Union
mae'r bobl wedi	the people have
gorfod newid	had to change
mynachlogydd	monasteries
chwalu	to destroy
amhrisiadwy	priceless
Y Diwygiad	The Protestant
Protestannaidd	Reformation
memrwn	parchment
argraffwyd	was printed
traethu	to discuss,
	to expound
argraffu	to print
cyffrous	exciting
pedwar	400th anniversary
canmlwyddiant	

Mae'r Saeson yn cofio 1588 oherwydd mai dyna flwyddyn yr Armada. I'r Cymry Cymraeg, blwyddyn cyhoeddi'r Beibl Cymraeg cyntaf yw 1588.

1588. Diwedd yr unfed ganrif ar bymtheg (16g). Mae pethau wedi newid cryn dipyn er dyddiau copïo *Llyfr Gwyn Rhydderch, Llyfr Coch Hergest, Llyfr Aneirin* a *Llyfr Taliesin*. Erbyn hyn, does gan Gymru mo'i thywysogion ei hun ac, yn ôl Deddf Uno 1536, Saesneg yw 'iaith naturiol' y wlad. Cymraeg yw 'iaith naturiol' y bobl o hyd, wrth gwrs. Ond mae'r bobl wedi gorfod newid eu crefydd. Cafodd y mynachlogydd eu chwalu, ac mae'n sicr bod llawer iawn o lawysgrifau amhrisiadwy wedi diflannu gyda nhw. Erbyn amser Elisabeth I mae'r bobl wedi dechrau derbyn y Diwygiad Protestannaidd.

Daeth newid technolegol hefyd. Llawysgrifau oedd *Llyfr Gwyn Rhydderch, Llyfr Coch Hergest, Llyfr Aneirin* a *Llyfr Taliesin*, wedi'u copïo ar femrwn. Yn 1547 argraffwyd y llyfrau Cymraeg cyntaf, gan gynnwys un gan Syr John Prys. Doedd ganddo ddim teitl, ond roedd y geiriau ar ddudalen y teitl yn dechrau 'Yn y lhyvyr hwnn y traethir ...', ac felly mae'n cael ei adnabod fel *Yn y lhyvyr hwnn* ('yn y llyfr hwn'). Yn ystod y blynyddoedd nesaf cafodd nifer o lyfrau Cymraeg eu hargraffu.

Efallai mai *Yn y lhyvyr hwnn* oedd y llyfr Cymraeg cyntaf i gael ei argraffu, ond mae'n bosibl mai *Y Drych Cristianogawl* oedd y llyfr cyntaf i gael ei argraffu yng Nghymru, a hynny yn 1585-6. Os yw'r stori'n wir, mae'n hanes cyffrous iawn. Roedd rhai pobl yng Nghymru

William Morgan – llun gan Keith Bowen ar gyfer stamp i ddathlu pedwar canmlwyddiant cyfieithu'r Beibl yn 1988 (drwy garedigrwydd Swyddfa'r Post)

yn dal i gefnogi'r ffydd Babyddol, ac roedden nhw'n awyddus iawn i gadw'r ffydd honno'n fyw. Fel y Protestaniaid, roedd y Pabyddion yn gwybod bod y gair printiedig yn gallu bod yn ddylanwad cryf ar bobl. Ond roedd yn beryglus iawn iddyn nhw argraffu llyfrau yn agored. Roedd llawer ohonyn nhw wedi ffoi i'r Cyfandir ac yn trefnu i argraffu llyfrau yno. Ond, yn ôl y stori, cafodd un llyfr Pabyddol ei argraffu yng Nghymru, yn ddirgel, mewn ogof yn y Creuddyn ger Pen y Gogarth, yn agos i Landudno heddiw. Uchelwr o'r enw Robert Pugh o Benrhyn Creuddyn oedd un o'r Pabyddion a oedd yn gyfrifol am argraffu'r llyfr, ac yn ôl traddodiad, buodd Pugh a'i ffrindiau'n byw yn yr ogof am saith mis. Offeiriad Pabyddol o Golwyn o'r enw William Davies oedd un o'r lleill. William Davies oedd wedi smyglo copi o lawysgrif Y Drych Cristianogawl i Gymru o'r Cyfandir. Bron iawn i'r criw gael eu dal gan 40 o ddynion Syr Thomas Mostyn, yr ustus lleol, ond fe lwyddon nhw i ddianc. Ond rai blynyddoedd yn ddiweddarach, fe gafodd William Davies ei ddal a'i ddienyddio mewn ffordd erchyll.

Roedd y Protestaniaid yn dal i boeni am ddylanwad yr 'hen ffydd' ar y bobl. Roedd angen egluro'r ffydd newydd i'r bobl. Ond doedd yr offeiriaid plwyf ddim wedi arfer pregethu, a heb Feibl Cymraeg, doedd ganddyn nhw mo'r geiriau i wneud hynny. Dyna un rheswm am fynd ati i gyfieithu'r Beibl i'r Gymraeg. Dyna pam roedd y Senedd yn 1563 wedi pasio deddf yn gorchymyn i bedwar esgob Cymru ac esgob Henffordd gyfieithu'r Beibl a'r Llyfr Gweddi Gyffredin a'u hargraffu erbyn 1 Mawrth 1566.

Ond doedd hynny ddim yn ddigon o amser. Gwnaeth Esgob Tyddewi, Richard Davies, ei orau. Galwodd ar William Salesbury a Thomas Huet i'w helpu, ac yn 1567 cyhoeddwyd cyfieithiad o'r Testament Newydd a'r Llyfr Gweddi. William Salesbury oedd yn bennaf gyfrifol am gyfieithu'r Testament Newydd, ac mae'n gyfieithiad ardderchog. Ond yn anffodus roedd ganddo chwilen yn ei ben ynglŷn â sillafu Cymraeg. Roedd Salesbury eisiau gwneud i rai geiriau Cymraeg edrych yn debyg i eiriau Lladin, felly roedd o'n ysgrifennu pethau fel 'ecles' am 'eglwys' a 'discipulon' am 'disgyblion'. Felly

GEIRFA

cefnogi	to support
y ffydd Babyddol	the Roman Catholic faith
awyddus	eager, anxious
y Pabyddion	the Catholics
y gair printiedig	the printed word
dylanwad	influence
ffoi	to escape
yn ddirgel	secretly
ogof	cave
uchelwr	a nobleman
yn ôl traddodiad	according to tradition
offeiriad	priest
bron iawn i'r criw gael eu dal	the company were very nearly caught
ustus	justice
dienyddio	to execute
erchyll	horrendous
yr offeiriaid plwyf	the parish priests
mynd ati	to set about
deddf	a law
gorchymyn	to command, a command
esgob	bishop
esgob Henffordd	bishop of Hereford
Y Llyfr Gweddi Gyffredin	The Book of Common Prayer
yn bennaf gyfrifol	mainly responsible
chwilen yn ei ben	a bee in his bonnet
sillafu	to spell, spelling
Lladin	Latin

roedd yn anodd iawn i'r offeiriaid plwyf ddarllen Testament Cymraeg Salesbury i'r bobl. Ar Salesbury mae'r bai ein bod ni'n dal i ysgrifennu 'ei dad' ac 'ei chath', er ein bod ni'n dweud 'i dad' ac 'i chath'; roedd o eisiau i'r 'ei' edrych yn debyg i'r Lladin 'eius'.

Ond roedd y gwaith caled ar y Testament Newydd wedi cael ei wneud. Roedd hynny'n help mawr i William Morgan pan aeth o ati i gyfieithu'r Beibl cyfan. Mab i ffermwr oedd William Morgan – un o denantiaid Syr John Wynn o Wydir. Enw ei gartref oedd y Tŷ Mawr, Wybrnant ac mae'n bosibl i chi ymweld â'r Tŷ Mawr heddiw. Cafodd ei addysg gynnar ym Mhlasty Gwydir, ac yna aeth ymlaen i Goleg Sant Ioan, Caer-grawnt, yn 1565. (Os ewch i Gaer-grawnt rywbryd, edrychwch am y plac yn eglwys Coleg Sant Ioan sy'n coffáu William Morgan a'i gyd-fyfyriwr Edmwnd Prys, awdur 'Y Salmau Cân'.) Yn 1578 cafodd Morgan ei benodi yn ficer Llanrhaeadr-ym-Mochnant. Yn fuan wedi iddo symud i Lanrhaeadr, dechreuodd ar y gwaith enfawr o gyfieithu'r Beibl i'r Gymraeg.

Roedd Morgan yn ysgolhaig Groeg, Hebraeg a Lladin disglair, ac

roedd hefyd yn gyfarwydd iawn â iaith y beirdd Cymraeg. Roedd am ddewis yr iaith fwyaf urddasol ar gyfer cyfieithu gair Duw, ac roedd iaith y beirdd yn ddewis naturiol i un oedd wedi cael ei addysg ym mhlasty un o'r uchelwyr.

Cymerodd y gwaith chwe blynedd i'w orffen, a bu'n rhaid i Morgan dreulio blwyddyn wedyn yn Llundain yn

Wyneb-ddalen Beibl William Morgan (Llyfrgell Genedlaethol Cymru)

cywiro gwaith yr argraffwyr. Ond erbyn 1588 roedd y Beibl Mawr yn barod i'w ddefnyddio yn yr eglwysi plwyf.

Cafodd groeso mawr. 'Y Beibl maith yn ein hiaith ni/ yw'r haul sy'n rhoi goleuni,' meddai un bardd, Ieuan Tew. Am y tro cyntaf roedd pobl Cymru yn cael clywed Gair Duw yn glir yn eu hiaith eu hunain. Roedd hi felly'n haws egluro'r ffydd Brotestannaidd iddyn nhw. Cafodd y Beibl Cymraeg ddylanwad mawr ar fywyd crefyddol Cymru. Bu'n ddylanwad hefyd ar lenyddiaeth – hyd yr ugeinfed ganrif bu ci iaith urddasol yn batrwm i lenorion. Cafodd ddylanwad ar addysg y bobl hefyd. Heb y Beibl Cymraeg fyddai cenedlaethau o Gymry ddim wedi gallu dysgu darllen yn yr ysgolion cylchynol yn y ddeunawfed ganrif ac yn yr ysgolion Sul wedi hynny. A'r Beibl Cymraeg sy'n bennaf gyfrifol bod pobl ym mhob rhan o Gymru'n deall Cymraeg safonol, er nad oedd Cymraeg yn iaith swyddogol yng Nghymru am ganrifoedd.

'Beibl Mawr' oedd Beibl William Morgan – Beibl ar gyfer eglwysi plwyf. Yn 1620 cyhoeddwyd argraffiad newydd o'r cyfieithiad gan Richard Parry, esgob Llanelwy –

addasiad gan John Davies, Mallwyd, ysgolhaig Cymraeg mwyaf disglair ei oes. Yna yn 1630 argraffwyd fersiwn llai o hwn, a'r Beibl Bach hwn oedd y cyntaf i gyrraedd cartrefi'r bobl. Beibl William Morgan oedd y sail i hwn, ac i bob argraffiad o'r Beibl hyd 1988. Yn 1988, i ddathlu pedwar canmlwyddiant cyfieithu'r Beibl Cymraeg cyntaf, cyhoeddwyd cyfieithiad newydd – Y Beibl Cymraeg Newydd.

Cafodd William Morgan ei gydnabod am ei waith – yn 1595 cafodd ei benodi'n Esgob Llandaf, ac yna, ymhen chwe blynedd, yn Esgob Llanelwy. Fel Yr Esgob William Morgan, cyfieithydd cyntaf y Beibl i'r Gymraeg, y mae'r Cymry'n cofio amdano. Os cewch gyfle, ewch am dro i bentref hardd Llanrhaeadr-ym-Mochnant, ar y ffin rhwng Powys a sir Ddinbych, i weld yr eglwys lle roedd yn ficer pan wnaeth y gwaith mawr a gafodd gymaint o ddylanwad ar fywyd Cymru ac ar yr iaith Gymraeg.

G E I R F A

bywyd crefyddol	religious life
llenyddiaeth	literature
llenorion	writers
cenedlaethau	generations
ysgolion cylchynol	circulating schools
y ddeunawfed ganrif	the eighteenth century
Cymraeg safonol	standard, 'received' Welsh
er nad oedd Cymraeg	although Welsh was not
swyddogol	official
am ganrifoedd	for centuries
argraffiad newydd	new edition
addasiad	adaptation, revised edition
ei oes	his age
fersiwn llai	smaller version
i ddathlu	to celebrate
cydnabod	to acknowledge
penodi	to appoint

Gweledigaethau y Bardd Cwsg – Ellis Wynne
1703

GEIRFA

prynhawngwaith	afternoon (cf. 'noswaith')
ha	= haf
hirfelyn	= hir + melyn
tesog	hazy
cymerais hynt	I went
sbienddrych	telescope
golwg	sight
egwan	feeble
tes	haze
ysblennydd	splendid
canfyddwn	I could see
golygiad	sight
clasur(on)	classic(s)
cyfarwydd	familiar
dychmygu	to imagine
Y Bardd Cwsg	'the sleeping poet'
cymeriad	character
proffwydo	to prophesy
gweledigaeth(au)	vision(s)
cynnwys	content
benthyca	to borrow
llenor	writer
amlwg	prominent
dyfalu	to guess
unrhyw gysylltiad	any connection
offeiriad	priest
plasty	hall, mansion
Rhydychen	Oxford
myfyriwr	student
cyfreithiwr	solicitor
adnabyddus	well-known
arddull	style
cyhoeddi	to publish
gwasanaethu	to serve

Ar ryw brynhawngwaith teg o ha hirfelyn tesog, cymerais hynt i ben un o fynyddoedd Cymru, a chyda mi sbienddrych i helpu 'ngolwg egwan, i weled pell yn agos, a phethau bychain yn fawr; trwy'r awyr denau eglur a'r tes ysblennydd tawel canfyddwn ymhell bell tros Fôr Iwerddon, lawer golygiad hyfryd.

Dyna sut mae un o glasuron Cymraeg y ddeunawfed ganrif (y 18g) yn dechrau ac mae'r frawddeg yn un o'r rhai mwyaf cyfarwydd mewn llenyddiaeth Gymraeg y tu allan i'r Beibl. Mae'n swnio'n Gymreig iawn, on'd ydy? Gallwch ddychmygu dringo i 'ben un o fynyddoedd Cymru' ar ddiwrnod poeth o haf ac edrych drwy'r tes, a thrwy sbienddrych, 'ymhell bell tros Fôr Iwerddon'. Ac roedd 'Y Bardd Cwsg' yn hen gymeriad mewn barddoniaeth Gymraeg a oedd yn enwog am broffwydo a gweld gweledigaethau. Ac eto, doedd cynnwys *Gweledigaetheu y Bardd Cwsc* mewn gwirionedd ddim yn hollol Gymreig. Cafodd llawer o'r cynnwys ei fenthyca o lyfr Sbaeneg gan Don Francisco Gomez de Quevedo Villegas, llenor Sbaeneg amlwg o'r ail ganrif ar bymtheg (17g). Ond wrth ddarllen y llyfr, basai'n anodd i chi ddyfalu bod unrhyw gysylltiad rhyngddo a llyfr o Sbaen.

Offeiriad yn Eglwys Loegr oedd Ellis Wynne (1671-1734) neu, o leiaf, fe aeth yn offeiriad ar ôl iddo ysgrifennu'r *Gweledigaethau*. Cafodd ei eni yn 1671 yn y Lasynys, plasty bychan ger Harlech. Yn un ar hugain oed aeth i Rydychen yn fyfyriwr i Goleg Iesu. Wyddon ni ddim beth yn union a wnaeth ar ôl gadael y coleg. Efallai ei fod wedi bod yn gyfreithiwr. Ond mae'n debyg ei fod wedi byw yn ei gartref, y Lasynys, am rai blynyddoedd, a'i fod wedi cael digon o amser i ddarllen ac ysgrifennu. Mae'n awdur dau lyfr adnabyddus, sef *Rheol Buchedd Sanctaidd*, cyfieithiad o *The Rule and Exercises of Holy Living* gan Jeremy Taylor, a *Gweledigaetheu y Bardd Cwsc*. Mae'r ddau yn glasuron Cymraeg, ond yn hollol wahanol o ran arddull. Ar ôl iddo gyhoeddi'r ddau lyfr yma, penderfynodd Ellis Wynne fynd yn offeiriad yn yr eglwys, a bu'n gwasanaethu yn ardal Harlech.

Pa fath o lyfr yw *Gweledigaetheu y Bardd Cwsc* felly? Ysgrifennodd Don Francisco Gomez de Quevedo

Villegas ei 'weledigaethau' mewn cyfnod pan oedd Sbaen yn dirywio'n wleidyddol ac yn foesol. Roedd Quevedo'n teimlo'n ddig iawn oherwydd yr anfoesoldeb o'i gwmpas. Ond roedd hi'n rhy beryglus iddo ysgrifennu'n agored yn erbyn hynny, felly dewisodd ddull y 'gweledigaethau'. Cafodd ei waith ei gyfieithu i lawer o ieithoedd, gan gynnwys y Ffrangeg a'r Saesneg. Un o'r cyfieithwyr Saesneg mwyaf llwyddiannus oedd Syr Roger L'Estrange. Dewisodd L'Estrange 'led-gyfieithu' a defnyddiodd iaith lafar strydoedd a thafarndai Lloegr i wneud hynny.

Cyfieithiad L'Estrange o weledigaethau Quevedo a ddefnyddiodd Ellis Wynne yn sail i'w lyfr. Ond

Y Lasynys, cartref Ellis Wynne
(Llyfrgell Genedlaethol Cymru)

newidiodd gymaint ar waith Quevedo nes bod ei lyfr yn darllen fel llyfr Cymraeg gwreiddiol. Mae gan Quevedo saith gweledigaeth, ond tair sydd gan Ellis Wynne – Gweledigaeth Cwrs y Byd, Gweledigaeth Angau a Gweledigaeth Uffern. Rhoddodd ei gynllun trefnus ei hun ar y cyfan.

Yn y weledigaeth gyntaf, 'Cwrs y Byd', mae Angel yn achub yr awdur o grafangau'r Tylwyth Teg ac yn rhoi golwg iddo ar 'Ddinas anferthol o faintioli, a miloedd o ddinasoedd a theyrnasoedd ynddi; a'r eigion mawr fel llyn-tro o'i chwmpas, a moroedd eraill fel afonydd yn ei gwahanu hi'n rhannau'. Trwy sbienddrych arbennig yr Angel mae'n gweld y Ddinas – sef y Byd – 'yn dair Stryd fawr tros ben' a 'Stryd groes arall' sy'n fach a gwael o'i chymharu â'r tair stryd fawr. Yn rheoli'r tair stryd fawr mae tair tywysoges hardd ond dinistriol – merched y Tywysog Belial, neu Satan – sef Balchder, Pleser ac Elw. 'Y Tair hyn yw'r Drindod y mae'r Byd yn ei addoli.' Dyna fframwaith 'Gweledigaeth Cwrs y Byd'. Yn y tair stryd mae Ellis Wynne yn gosod pob

GEIRFA	
cyfnod	period
dirywio	to decline
gwleidyddol	political
moesol	moral
anfoesoldeb	immorality
dull	method
lled-gyfieithu	to translate roughly
sail	basis
Cwrs y Byd	the Course of the World
Angau	Death
Uffern	Hell
cynllun	plan
trefnus	orderly
achub	to save
crafanc (crafangau)	claw(s)
Tylwyth Teg	fairies, goblins
rhoi golwg iddo	gives him sight of
anferthol	huge
maintioli	size
teyrnas(oedd)	kingdom(s)
eigion	ocean
llyn-tro	surrounding lake
gwahanu	to separate
o'i chymharu â	compared with
dinistriol	destructive
balchder	pride
elw	profit
trindod	trinity
addoli	to worship
fframwaith	framework
dychanu	to satirize

GEIRFA

paladr	shaft (a stocky fellow)
lledu	to spread
asgell (esgyll)	wing(s)
hedeg	= hedfan, to fly
prin y gallai ymlwybran	he could hardly shuffle
o glun i glun	from hip to hip
pwn	pack
cest	belly
gowt	gout
clefyd(on)	disease(s)
boneddigaidd	gentlemanly
ni chaet ti	you would not get
cil-edrychiad	glance
er dim	whatever you do/did
clamp	huge
pendefig	nobleman
lliaws	throng
yn deg ei wen	with a sweet smile
llaes ei foes	most courteous
a'i cyrfyddai	who met him
hwn acw	that one
natur ddynol	human nature
perthnasol	relevant
ymdrech	effort
safbwynt	point of view
safle	position
ar y naill law	on the one hand
Anghydffurfwyr	Nonconformists
tremio	to look
canfûm	I discovered, saw
Rhufain	Rome
fynycha	usually
llys	court, palace
achub ar	to take, grasp
mân uchelwyr	lesser gentry

math o deipiau ac yn eu dychanu. Dyma ddau a osododd yn Stryd Balchder:

Ar hyn dyma baladr o ŵr a fasai'n Alderman ac mewn llawer o swyddi yn dod allan oddi tanom, yn lledu ei esgyll, megis i hedeg, ac yntau prin y gallai ymlwybran o glun i glun fel ceffyl â phwn, o achos y gest a'r gowt ac amryw glefydon boneddigaidd eraill; er hynny ni chaet ti ganddo ond trwy ffafr fawr un cil-edrychiad, a chofio er dim ei alw wrth ei holl deitlau a'i swyddi. Oddi ar hwn trois fy ngolwg tu arall i'r Stryd lle gwelwn glamp o bendefig ieuanc a lliaws o'i ôl, yn deg ei wên a llaes ei foes i bawb a'i cyrfyddai. "Rhyfedd," ebr fi, "fod hwn a hwn acw'n perthyn i'r un Stryd." "O, yr un Dywysoges Balchder sy'n rheoli'r ddau," ebr yntau ...

Ydych chi'n eu hadnabod?! Gan mai disgrifio'r natur ddynol y mae Ellis Wynne yn aml iawn, mae llawer o'i lyfr yn dal yn berthnasol heddiw. Ond gwnaeth ymdrech hefyd i wneud y Gweledigaethau yn berthnasol i Gymru ei gyfnod ei hun. Roedd

dyletswydd	duty
cyfrifoldeb	responsibility
bod yn gefn i	to support
adfail (adfeilion)	ruin(s)

ganddo ei safbwynt arbennig ei hun hefyd, ac wrth ddefnyddio dull y Gweledigaethau roedd yn bosibl iddo ddychanu a beirniadu pobl a theipiau a oedd yn erbyn y safbwynt hwnnw. Eglwyswr oedd Ellis Wynne, ac roedd safle Eglwys Loegr yn bwysig iddo. Felly mae'n dychanu'r Catholigion ar y naill law a'r Anghydffurfwyr ar y llall. Dyma fo'n rhoi cic slei i'r Pab:

O hir dremio canfûm wrth Borth y Balchder ddinas deg ar saith fryn ... "Wel dyma Rufain, ebr fi, ac yn hon y mae'r Pab yn byw?" "Ie fynycha," eb yr Angel, "ond mae ganddo Lys ym mhob un o'r Strydoedd eraill."

Roedd ei safbwynt yn un Piwritanaidd ac mae'n achub ar bob cyfle i ddychanu anfoesoldeb. Roedd hefyd yn perthyn i ddosbarth y mân uchelwyr, ac mewn cyfnod o newid cymdeithasol pan oedd llawer o'i ddosbarth yn troi eu cefnau ar eu dyletswyddau ac ar Gymru, mae Ellis Wynne yn dal i gredu mai cyfrifoldeb yr uchelwyr yw bod yn gefn i gymdeithas. Mae'r disgrifiad yma o adfeilion hen blasty yn rhoi darlun da o'r newid cymdeithasol a oedd yn poeni Ellis Wynne:

Yn Stryd Balchder disgynasom ar ben 'hangle o Blasty penagored mawr, wedi i'r Cŵn a'r Brain dynnu ei lygaid, a'i berchenogion wedi mynd i Loegr neu Ffrainc ... Yr oedd yno fyrdd o'r fath blasau gwrthodedig, a allasai oni bai Falchder fod fel cynt yn gyrchfa goreugwyr, yn noddfa i'r gweiniaid, yn ysgol heddwch a phob daioni, ac yn fendith i fil o dai bach o'u hamgylch.

Roedd arddull y llyfr hefyd yn wreiddiol. Erbyn amser Ellis Wynne roedd traddodiad clasurol o ysgrifennu rhyddiaith urddasol wedi datblygu dan ddylanwad cyfieithwyr y Beibl a'r traddodiad barddol. Ysgrifennu bwriadol, crefftus a graenus oedd hwn ac roedd Ellis Wynne yn feistr arno. Mae paragraff cyntaf 'Gweledigaeth Cwrs y Byd' yn enghraifft dda. Ond fel Roger L'Estrange, penderfynodd Ellis Wynne fod angen iaith fwy bywiog a llai urddasol weithiau – er enghraifft i ddisgrifio digwyddiadau cyflym a golygfeydd stwrllyd a doniol, i adrodd stori neu gyfleu sgwrs. Defnyddiodd elfennau o'r iaith lafar fyw i helpu i greu'r effaith roedd yn chwilio amdani. Dyma sut mae'n dweud ei hanes yn nwylo'r Tylwyth Teg:

dirgel	mysterious
swynion	spells
torrodd yr hwndrwd	the crowd (hundred) broke up
marchog sir	county squire
ymaith	away
dal sylw	to take note of
gan gyflymed ...	so fast ...

O'r diwedd gofynnais eu cennad fel hyn o hyd fy nhin: "Atolwg lân gynulleidfa, rwy'n deall mai rhai o bell ydych; a gymerwch chi Fardd i'ch plith sy'n chwennych trafaelio?" Ar y gair, distawodd y trwst, a phawb a'i lygaid arna i, a than wichian, "Bardd!" ebr un. "Trafaelio!" eb un arall. "I'n plith ni!" ebr y trydydd. Erbyn hyn mi adwaenwn rai oedd yn edrych arna i ffyrnica'r cwbl. Yna dechreusant sibrwd o glust i glust ryw ddirgel swynion ac edrych arna i, a chyda hynny torrodd yr hwndrwd, a phawb a'i afael yno i, codasant fi ar eu 'sgwyddau, fel codi marchog sir; ac yna ymaith â ni fel y gwynt tros dai a thiroedd, dinasoedd a theyrnasoedd, a moroedd a mynyddoedd, heb allu dal sylw ar ddim gan gyflymed yr oeddent yn hedeg.

Rydyn ni wedi sôn am y traddodiad cyfoethog o ysgrifennu rhyddiaith a oedd wedi datblygu yn y cyfnod ar ôl cyfieithu'r Beibl. Wrth neidio'n syth o gyfieithu'r Beibl at

GEIRFA

campwaith	masterpiece
anwybyddu	to ignore
Y Rhyfel Cartref	The Civil War
hanesydd	historian
difyr	entertaining
anfeirniadol	uncritical

gampwaith Ellis Wynne rydyn ni wedi anwybyddu rhai o ysgrifenwyr mawr yr iaith Gymraeg – pobl fel Morgan Llwyd, y Piwritan a ysgrifennodd y *Llythyr at y Cymry Cariadus* a *Llyfr y Tri Aderyn* yng nghanol cyfnod peryglus y Rhyfel Cartref, a Charles Edwards, awdur *Y Ffydd Ddiffuant*. Bydd yn rhaid mynd heibio hefyd i Theophilus Evans, yr hanesydd difyr ond anfeirniadol, awdur *Drych y Prif Oesoedd*. Pan ddown at Daniel Owen a'i nofelau mawr yn y bennod nesaf, byddwn mewn cyfnod sy'n teimlo'n fwy modern. Ond cyn hynny, os cewch chi gyfle, beth am fynd am dro i'r Lasynys, rhwng Talsarnau a Harlech, a chwilio am fwy o hanes Ellis Wynne?

Rhys Lewis – Daniel Owen
1885

Daniel Owen (1836-1895) yw'r nofelydd mwyaf adnabyddus yn y Gymraeg, a'i nofel enwocaf yw *Hunangofiant Rhys Lewis, Gweinidog Bethel* a gyhoeddwyd yn llyfr yn 1885.

Aeth tipyn o amser heibio rhwng cyfnodau Morgan Llwyd, Ellis Wynne a Theophilus Evans (yr 17g a dechrau'r 18g) a chyfnod Daniel Owen. Ac yn wir, cyfnod go lwm oedd y rhan fwyaf o'r bedwaredd ganrif ar bymtheg (y 19g) yn hanes ysgrifennu llyfrau Cymraeg. Mae'n debyg mai'r llyfrau cyfoes mwyaf adnabyddus i Gymry'r ganrif oedd rhai ffeithiol a chrefyddol fel *Geiriadur Charles* (geiriadur Thomas Charles o'r Bala a oedd yn rhoi gwybodaeth i'r Cymry cyffredin am hanes a daearyddiaeth gwledydd y Beibl), cyfieithiadau o lyfrau Saesneg poblogaidd fel *Taith y Pererin*, John Bunyan, a *Caban F'ewythr Twm*, a llu o gofiannau i ddynion pwysig y cyfnod – pregethwyr a gweinidogion fel arfer. Cafodd rhai nofelau gwreiddiol eu hysgrifennu hefyd ond, yn anffodus, doedden nhw ddim yn rhai da iawn a phwrpas llawer ohonynt oedd dysgu moeswers – perswadio pobl i beidio ag yfed diod feddwol fel arfer.

Daniel Owen (Llyfrgell Genedlaethol Cymru)

Roedd y ffordd roedd pobl yn ysgrifennu yn broblem hefyd. Dyn o'r enw William Owen Pughe sy'n cael y bai am hyn fel arfer. Mae Syr Thomas Parry yn *Hanes Llenyddiaeth Gymraeg* yn dweud bod Pughe wedi 'dyfeisio' dull erchyll o ysgrifennu Cymraeg. Roedd yn 'defnyddio geiriau di-dras, priod-ddulliau anghymreig, brawddegau trwsgl a chwyddedig, a thrwy'r cwbl rhyw ffug hynafiaeth atgas'. Yn anffodus, aeth llawer o bobl ati i'w gopïo, a chopïo

G E I R F A

arddull	style
fawr neb	hardly anyone
gwendid(au)	weakness(es)
cyfrinach	secret
teiliwr	tailor
fesul pennod	a chapter at a time
digynllun	unplanned, without a precise plot
hunangofiant	autobiography
rhagfarn	prejudice
'celwyddau'r dychymyg'	the lies of the imagination, fiction

arddull Saesneg y cyfnod hefyd, yn lle ysgrifennu yn null y clasuron Cymraeg neu mewn Cymraeg naturiol, gwerinol. Does fawr neb yn darllen llyfrau'r bedwaredd ganrif ar bymtheg heddiw. Ond er bod rhai o wendidau'r ganrif yng ngwaith Daniel Owen hefyd, mae pobl yn dal i ddarllen ei lyfrau o.

Felly pwy oedd Daniel Owen a beth oedd cyfrinach ei lwyddiant? Cafodd ei eni yn yr Wyddgrug yn 1836. Lladdwyd ei dad mewn damwain mewn pwll glo pan oedd yn fabi ac ar ôl plentyndod tlawd iawn aeth Daniel i weithio fel prentis o deiliwr. Pan oedd yn 28 oed aeth i Goleg y Bala i baratoi i fod yn weinidog gyda'r Methodistiaid, ond cyn gorffen y cwrs daeth yn ôl i'r Wyddgrug i weithio i'w hen feistr. Cyn hir, dechreuodd ei fusnes ei hun ond pan oedd yn 40 oed torrodd ei iechyd a dyma pryd y dechreuodd ysgrifennu o ddifrif. Roedd yn cyhoeddi ei nofelau fesul pennod mewn cylchgronau fel Y Drysorfa a'r Cymro; yn ôl rhai pobl, dyna pam maen nhw braidd yn ddigynllun. Ond yn sicr roedden nhw'n nofelau poblogaidd iawn a chyn hir mi gawson nhw eu cyhoeddi'n llyfrau. Y

Ystafell Goffa Daniel Owen yn yr Wyddgrug (Archifdy Clwyd)

rhai mwyaf adnabyddus yw *Rhys Lewis*, *Enoc Huws* a *Gwen Tomos*.

Teitl llawn *Rhys Lewis* yw *Hunangofiant Rhys Lewis, Gweinidog Bethel*. Bob mis yn *Y Drysorfa* yr ymddangosodd gyntaf ac aeth Daniel Owen i drafferth fawr i berswadio'r darllenydd mai Rhys Lewis ei hun sy'n ysgrifennu a bod popeth yn yr 'hunangofiant' yn wir bob gair. Un rheswm am wneud hyn oedd y rhagfarn Biwritanaidd yn erbyn 'celwyddau'r dychymyg'. Doedd chwedlau, dramâu a nofelau ddim yn dderbyniol i'r Methodistiaid oherwydd nad oeddent yn cynnwys ffeithiau. Felly roedd Daniel Owen am berswadio pobl mai hunangofiant ffeithiol oedd *Rhys Lewis*, nid nofel o gwbl. Ond roedd gan Daniel Owen reswm arall hefyd. Dyn cyffredin iawn oedd Rhys Lewis, meddai Daniel Owen. Roedd llawer iawn o gofiannau'n cael eu hysgrifennu am bobl bwysig yr oes. Roedd llawer o ganmol a chlodfori yn y cofiannau hyn. Ond pa mor 'ffeithiol' oedden nhw, tybed? Faint o wir oedd y tu ôl i'r canmol? Dydy Daniel Owen ddim yn gofyn y cwestiwn yn uniongyrchol, ond yn sicr mae'n awgrymu bod llawer mwy o wir yn ei stori o am Rhys Lewis y gweinidog cyffredin nag oedd yn llawer o'r cofiannau i bobl bwysig. Mae'n gorffen y bennod gyntaf, 'Cofiant', fel hyn:

> Rhys, beth a ddywedi amdanat dy hun? Cofia ddweud y gwir. Hynny a wnaf; ac os cyferfydd câr neu gyfaill i mi â'r ysgrifen hon, gwybydded nad oes gennyf air i'w dynnu yn ôl.

Y gwahaniaeth rhwng gwir a gwir – dyna un o themâu pwysig *Rhys Lewis*.

Ond oherwydd dawn Daniel Owen i ddweud stori dda, i greu cymeriadau lliwgar ac i ysgrifennu'n ysgafn a doniol y daeth *Rhys Lewis* yn boblogaidd. Prif gymeriadau'r nofel, ar wahân i Rhys ei hun, yw ei frawd Bob a'i fam, Mari Lewis. Mae'r ddau yn gymeriadau cryf iawn ac mae'r gwrthdaro rhyngddyn nhw yn rhan bwysig o hanner cyntaf y nofel – Bob a'i 'bolitics' a Mari Lewis a'i Beibl. Gwraig grefyddol iawn oedd Mari Lewis, mam Rhys. Ond fel Daniel Owen ei hun, doedd gan Rhys ddim tad i'w fagu. Bob sy'n cynnal y teulu. Mae'n weithiwr cydwybodol, yn ddarllenwr mawr, yn arweinydd naturiol ac mae'n gwneud ei orau dros y teulu. Ond mae ganddo syniadau newydd ynglŷn â chyfiawnder i'r gweithwyr ac mae hynny'n ei arwain i drybini.

Un o'r digwyddiadau mwyaf adnabyddus yn y nofel yw hanes Robin y Sowldiwr yn curo Rhys. Ysgol hen ffasiwn oedd Ysgol Robin y Sowldiwr. Doedd y plant yn dysgu fawr ddim ac roedden nhw'n cael eu curo am y nesaf peth i ddim. Am chwarae cast yn ei erbyn yn yr Eglwys mae Robin y Sowldiwr yn curo Rhys yn ddidrugaredd. Mae Bob ar ei ffordd adref o'r pwll glo ac mae'n cael gwybod beth sy'n digwydd. Mae'n achub ei frawd ac yn ymosod ar Robin y Sowldiwr. Ac am wneud hynny, mae'n cael ei dorri allan o'r Seiat.

GEIRFA

clodfori	to praise
yn uniongyrchol	directly
awgrymu	to suggest
gwir	truth
os cyferfydd câr...i mi	if a relation ... of mine meets
gwybydded	let him know
dawn	talent
cymeriad(au)	character(s)
doniol	funny
gwrthdaro	conflict
cynnal	to sustain
cydwybodol	conscientious
cyfiawnder	justice
trybini	trouble
didrugaredd	without mercy
torri allan	to expel
Seiat	formal meeting of Chapel members for confessional or disciplinary purposes

GEIRFA

cosbi	to punish
euog	guilty
ysgolfeistr(i) (ysgol+meistr)	schoolmaster(s)
rhagrithiol	full of hypocrisy
argraff	impression
duwiol	godly
bydol	worldly, materialistic
er gwaethaf	in spite of
ymbil	pleading
gwrthod	to refuse
ymddiheuro	to apologise
loes	pain, grief
dieithr	strange
dychan	satire
blaenor	deacon
sylw(adau)	comment(s)
cyngor (cynghorion)	advice
diffiniad	definition
beio	to blame
nhwthe	they, them
tanlinellu	to underline
atgasedd	hatred
rhagrith	hypocrisy
diwydiannol	industrial

Roedd cael eich torri allan o'r Seiat yn beth ofnadwy. Dyna'r ffordd roedd y capel yn eich cosbi am wneud rhywbeth drwg. Ond yn ôl Bob, roedd aelodau'r capel yn euog o bethau gwaeth o lawer na churo ysgolfeistri creulon. Roedd llawer ohonyn nhw'n falch ac yn rhagrithiol – yn rhoi'r argraff eu bod yn dduwiol a da, ond yn fydol a digrefydd mewn gwirionedd. Ac eto doedd y Seiat ddim yn eu cosbi nhw. Er gwaethaf ymbil ei fam, mae Bob yn gwrthod ymddiheuro am beth wnaeth i Robin y Sowldiwr am na all o ddim rhagrithio. Ac felly mae'n aros y tu allan i'r Seiat ac mae hynny'n loes fawr i'w fam, Mari Lewis.

Mae byd y capel a'r Seiat yn fyd dieithr iawn i'r rhan fwyaf o bobl heddiw. Efallai y byddwch yn meddwl mai nofel braidd yn sych a diflas yw *Rhys Lewis*. Ond mae llawer iawn o hiwmor ynddi. Daw llawer o'r hiwmor o'r dychan, a llawer hefyd o ddigwyddiadau a chymeriadau doniol, yn arbennig gymeriadau Wil Bryan a Thomas Bartley. Dau ddigwyddiad y mae pobl yn eu cofio yw hanes Wil Bryan a'r cloc (Wil Bryan yn cuddio y tu ôl i'r cloc yn y capel yn ystod cyfarfod y plant, ac yn

troi bysedd y cloc ymlaen er mwyn i'r hen flaenor, Abel Hughes, feddwl ei bod yn amser gorffen) a hanes ymweliad Thomas Bartley â'r Bala. Mae sylwadau Wil Bryan ar fywyd a'i gynghorion i Rhys Lewis yn enwog hefyd. Dyma ei ddiffiniad o'r Seiat:

Seiat ydy lot o bobol dda yn meddwl eu bod nhw'n ddrwg, ac yn cyfarfod ei gilydd bob nos Fawrth i feio ac i redeg eu hunain i lawr.

A'r gwahaniaeth rhwng y capel a'r eglwys:

Rydych chi bobol yr Eglwys yn meddwl bod chi yn dda a chithe yn ddrwg, a phobol y capel yn meddwl eu bod nhw'n ddrwg a nhwthe yn dda.

Mae'n enwog hefyd am feirniadu 'humbug' ac am bwysleisio bod yn 'true to nature'. Fel Bob Lewis, mae Wil hefyd, yn ei ffordd ei hun, yn tanlinellu atgasedd Daniel Owen at ragrith.

Y capel a'r pwll glo yw cefndir *Rhys Lewis*. Dangosodd Bedwyr Lewis Jones fod y digwyddiadau diwydiannol yn hanner cyntaf y nofel yn debyg iawn i beth ddigwyddodd yn yr Wyddgrug rhyw bymtheng mlynedd cyn ysgrifennu'r nofel. Mae Bob yn cael ei garcharu ar gam yn dilyn cythrwfl ym mhwll glo Caeau Cochion. Mae'r hanes yn cyfateb yn agos iawn i helynt glowyr Coed-llai yn yr Wyddgrug yn 1869. Ac er bod Daniel Owen yn condemnio pobl sy'n torri'r gyfraith, mae'r nofel yn dangos yn glir ei fod hefyd yn condemnio tlodi ac amodau gwaith y glowyr, yr anghyfiawnder a'r gorthrwm. Yn ôl Bedwyr Lewis Jones, roedd Daniel Owen 'yn awdur *committed*. Roedd yn cymryd safbwynt gwleidyddol.'

Ar ôl i Bob farw mewn damwain yn y pwll glo caiff Rhys fynd i weithio yn siop Abel Hughes. Mae'n colli ei fam ac yn mynd trwy gyfnod 'drygionus'. Ond caiff dröedigaeth grefyddol ac ar ôl rhai blynyddoedd mae'n penderfynu mynd i Goleg y Bala i baratoi i fod yn weinidog. Mae rhan olaf y nofel yn troi o gwmpas ymchwil Rhys am ei dad. Pwy oedd tad Rhys? – y dirgelwch yma sy'n ffurfio cynllun neu blot y nofel, mewn gwirionedd. Yn debyg i lawer o nofelau oes Victoria, mae yna ymdrech ry amlwg i greu stori ddramatig a rhoi 'tro yng nghynffon' y nofel.

Mae fersiwn talfyredig ar gael o *Rhys Lewis* yn y gyfres *Cam at y Cewri* gan Basil Davies, cyfres sy'n cael ei chyhoeddi gan Wasg Gomer. Darllenwch hi ac, os cewch chi gyfle, ewch am dro i'r Wyddgrug i weld Ystafell Goffa Daniel Owen.

GEIRFA

ar gam	unjustly
cythrwfl	turmoil
cyfateb	to correspond
amodau	conditions
anghyfiawnder	injustice
gorthrwm	oppression
safbwynt	point of view
drygionus	bad
tröedigaeth	conversion
ymchwil	search
dirgelwch	mystery
ymdrech	effort
amlwg	obvious
talfyredig	abridged
sy'n cael ei chyhoeddi	which is published
coffa	memorial

Monica – Saunders Lewis
1930

Mae llawer o lyfrau mwyaf enwog yr ugeinfed ganrif yn hunangofiannau (fel *Clych Atgof* Owen M. Edwards gyda hanes enwog y *Welsh Not*), yn llyfrau hanes fel rhai R.T. Jenkins ac Ambrose Bebb, yn llyfrau barddoniaeth fel *Yr Haf a Cherddi Eraill* R. Williams Parry, yn llyfrau o ysgrifau fel rhai T.H. Parry-Williams neu storïau byrion fel rhai Kate Roberts, yn ddramâu fel *Siwan* a *Blodeuwedd* Saunders Lewis a hyd yn oed yn llyfrau i blant fel *Nedw* E. Tegla Davies. Eto i gyd, am nofelau y byddwn yn tueddu i feddwl wrth feddwl am 'lyfrau enwog'. Efallai mai ar Daniel Owen y mae'r bai. Efallai bod llwyddiant *Rhys Lewis, Enoc Huws, Gwen Tomos* ac ati wedi creu disgwyliadau mawr. Yn anffodus, roedd rhaid aros yn hir iawn am nofelydd llwyddiannus arall.

Fel dramodydd, gwleidydd a beirniad llenyddol y byddwn yn meddwl fel arfer am Saunders Lewis (1893-1985), ond roedd yn ddyn a oedd yn benderfynol o wneud argraff ar fywyd Cymru ac ar ei llenyddiaeth mewn llawer o ffyrdd gwahanol. Yn sicr fe wnaeth ei nofel gyntaf, *Monica*, argraff ddofn pan gafodd ei chyhoeddi yn 1930.

Ond doedd yr argraff ddim yn un ffafriol! Chafodd y nofel ddim llawer o groeso. Yn wir, roedd bron pawb yn ei beirniadu'n hallt. Roedd Saunders Lewis wedi dewis rhyw yn thema i'r nofel, ac roedd Cymry Cymraeg y cyfnod yn rhy barchus o lawer i ddarllen am ryw! Ac ar ben hynny, roedd Saunders Lewis wedi rhoi'r geiriau hyn yn gyflwyniad i'r nofel:

> Cyflwyna'r awdur y stori i goffadwriaeth Williams Pantycelyn, unig gychwynnydd y dull hwn o sgrifennu.

Williams Pantycelyn, emynydd mawr y Diwygiad Methodistaidd o bawb! Roedd cysylltu'r fath nofel aflednais â'r annwyl Bantycelyn yn gabledd bron. Roedd y Cymry Cymraeg parchus wedi anghofio bod Pantycelyn hefyd wedi ysgrifennu am ryw a themtasiynau'r cnawd, yn ei gerdd fawr 'Theomemphus', ac yn enwedig yn ei lyfr rhyddiaith, *Ductor Nuptiarium* neu *Gyfarwyddwr Priodas* yn 1777. Fel y dywedodd Saunders Lewis ei hun, 'nid Piwritan mo Williams. Nid ofnodd ef ddweud y gwir cyfan am gnawdolrwydd dyn.'

Fel Williams, roedd Saunders Lewis yn condemnio serch rhywiol, yn pwysleisio mai rhywbeth gwag ac ofer oedd serch a oedd yn dyrchafu rhyw yn unig. Nid oedd dyfodol i serch o'r fath. Thema debyg sydd yn ei ddrama fawr *Blodeuwedd*.

Merch unig ydy Monica. Cafodd ei magu yng Nghaerdydd yn ferch i siopwr. Roedd ei mam yn sâl ac felly roedd rhaid i Monica aros gartref i ofalu amdani a chafodd hi ddim bywyd cymdeithasol naturiol pan oedd yn ifanc. Ond mae'n llwyddo o'r diwedd i ddenu gŵr – cariad ei chwaer – ac maen nhw'n dianc i Abertawe i fyw. Yno mae Monica'n unig eto ac mae'n rhoi ei holl sylw i ochr rywiol ei phriodas. Ond mae'n mynd yn feichiog, ac mae hynny'n dinistrio popeth. Mae ofn mawr yn gafael ynddi – ofn na fydd hi'n gallu cadw serch ei gŵr gan ei bod yn feichiog. Mae'n penderfynu

Saunders Lewis ar falconi ei gartref yn y Mwmbwls, Abertawe, tua'r cyfnod yr ysgrifennodd Monica (Mair Saunders)

marw ac yn gwneud bywyd mor ddiflas i Bob ei gŵr nes ei fod yn treulio un noson yng ngwely putain. O ganlyniad i'r noson honno mae Bob yn dal clwy gwenerol. Pan ddaw Monica i wybod am hynny mae'n mynd i chwilio am dystiolaeth yn ei erbyn gan ei feddyg. Mae hi'n sâl iawn erbyn hyn ac mae'n syrthio'n anymwybodol – yn farw efallai – ar stepen drws y meddyg.

Dyna'r stori. Stori am unigrwydd merch heb wreiddiau na chymdeithas, na phwrpas i'w bywyd ond un – pleser rhywiol. Pan mae hwnnw'n mynd yn amhosibl mae ei holl fywyd yn chwerwi. Yn ogystal â chondemnio'r serch rhywiol, digyfrifoldeb mae'n stori sy'n condemnio bywyd diwreiddiau, digymdeithas a dibwrpas dinasoedd de Cymru. Yn 1930 efallai ei bod yn ymddangos yn amherthnasol i'r

cyfarwydd	*familiar*
safbwynt	*point of view*
moesol	*moral*
truenus	*pitiful*
gwacter	*void, emptiness*
newyddiadurwr	*journalist*
sylfaenydd (sylfaenwyr)	*founder(s)*

Cymry Cymraeg. Doedd dim sôn am grefydd na chapel nac am Gymru na'r Gymraeg ynddi. Roedd Saunders Lewis yn gyfarwydd iawn â chymdeithas y ddinas. Roedd wedi ei fagu yn Lerpwl ac wedi byw yng Nghaerdydd ac Abertawe. Ac roedd yn gwybod hefyd bod bywyd crefyddol Cymru a'r iaith Gymraeg wedi bod yn dirywio ers cenedlaethau. Roedd *Monica* yn rhybudd o beth fyddai pen draw'r dirywiad hwnnw. Byddai'r hyn oedd yn digwydd yn y dinasoedd yn digwydd yng ngweddill Cymru cyn diwedd y ganrif.

Roedd safbwynt y nofel felly yn 'foesol' iawn. Ond wnaeth Saunders Lewis ddim pregethu yn y nofel. Dim ond disgrifio sefyllfa drist un wraig druenus, a gwacter chwerthinllyd y 'gymdeithas' o'i chwmpas. Doedd Cymry Cymraeg y cyfnod ddim yn deall – neu doedden nhw ddim eisiau deall.

Ysgrifennodd Saunders Lewis nofel arall ymhen 34 o flynyddoedd – nofel serch o'r enw *Merch Gwern Hywel* wedi ei gosod yn y ddeunawfed ganrif mewn cefndir Methodistaidd. Mae'n fwy enwog am ei ddramâu, sy'n cynnwys:
Blodeuwedd
Buchedd Garmon
Siwan
Gymerwch chi Sigarét?
Brad
Esther
Cymru Fydd.
Mae'n enwog hefyd fel beirniad llenyddol, newyddiadurwr a gwleidydd. Roedd yn un o sylfaenwyr Plaid Genedlaethol Cymru, a'i ddarlith radio, 'Tynged yr Iaith', yn 1962, a arweiniodd at sefydlu Cymdeithas yr Iaith Gymraeg. Os hoffech ddarllen mwy am Saunders Lewis, edrychwch am yr ysgrif arno yn llyfr Catrin Stevens, *Cymry Ddoe*, yn y gyfres yma.

Traed Mewn Cyffion – Kate Roberts
1936

Kate Roberts (1891-1985) yw awdur pwysicaf rhyddiaith Gymraeg yr ugeinfed ganrif. Mae'n anodd dewis un llyfr i gynrychioli ei gwaith. Mae'n cael ei hadnabod fel 'brenhines y stori fer' yn Gymraeg, ac efallai y basai darllen un o'i storïau byrion – stori allan o *Te yn y Grug*, er enghraifft (casgliad o storïau am blant) – yn ffordd dda i chi ddechrau mwynhau ei gwaith. Ond roedd hi'n nofelydd arbennig iawn hefyd, ac mae *Traed Mewn Cyffion* yn un o'i llyfrau mwyaf adnabyddus. Mae'n llyfr hunangofiannol iawn, ac mewn llawer ffordd yn ddrych o ran gyntaf bywyd Kate Roberts. Cafodd y nofel ei throi'n ddrama gyfres a'i dangos ar S4C yn nechrau'r nawdegau.

Roedd Kate Roberts yn dod o bentref Rhosgadfan yn yr hen Sir Gaernarfon. Cafodd ei magu yno ar dro'r ganrif,

Kate Roberts yn ifanc
(Llyfrgell Genedlaethol Cymru)

mewn blynyddoedd caled. Roedd yr ardal yn dibynnu'n drwm ar ddiwydiant y chwareli llechi. Roedd teulu Kate Roberts yn byw ar dyddyn bychan ond roedd ei thad yn gweithio yn y chwarel hefyd. Dyma'r bywyd sy'n cael ei ddisgrifio yn *Traed Mewn Cyffion*. Mae'r fam a'r tad yn gorfod gweithio'n galed iawn, yn y chwarel, yn y cartref ac ar y tir, er mwyn cadw'r teulu. Mae'r nofel yn adrodd hanes eu hymdrech 'i gael dau pen y llinyn ynghyd', a'r helyntion eraill sy'n dod i ran y teulu hefyd. Y caledi economaidd a'r helyntion hyn sy'n golygu bod eu 'traed mewn cyffion' – geiriau sy'n dod o'r Beibl (Llyfr Job xiii 27).

Mae'r nofel yn dechrau yn 1880, yn fuan wedi priodas Jane ac Ifan Gruffydd. Cawn wybod yn fuan fod Jane yn gymeriad cryf a gwydn. Fel llawer o ferched Kate Roberts, mae ganddi feddwl cyflym a'r gallu i

GEIRFA

cynrychioli	to represent
casgliad	collection
adnabyddus	well-known
hunangofiannol	autobiographical
drych	mirror
drama gyfres	a serial play
ar dro'r ganrif	at the turn of the century
chwareli llechi	slate quarries
tyddyn	smallholding
ymdrech	effort
cael dau pen y llinyn ynghyd	to make ends meet
helynt(ion)	trouble(s)
dod i ran	to befall
caledi	hardship
cyffion	fetters
gwydn	tough

UNIVERSITY COLLEGE OF SWANSEA.

Telephone : SWANSEA 5059.

SINGLETON PARK
SWANSEA.

9, St. Peter's Rd.
Newton, Mumbles.
6.5.86.

Fy Annwyl Kate Roberts,

Byddwch yn siŵr yn beio ar fy anghwrteisi; ond er derbyn ohonof eich nofel ers tro, a bod yn ei ddarllen eilwaith cefais yn hamddenol y nos cyn mynd i'r gwely, prin iawn fu fy hamdden i sgrifennu yn ystod y dydd ers pythefnos, — mynd i Lundain a darlledu a brys enbyd i ddwyn darlithiau'n coleg i ben cyn yr arholiadau, ac yn awr wele dwmpath o lythyrau i'w hateb ar ôl y sgwrs o Lundain.

Hoffaf y nofel yn fwy lawer, yr ail dro y darllenaf. Y mae eich Cymraeg yn ddigon ei hunan i roi gwynfyd i Gristion — y mae'n ddi-ben-draw o ardderchog, fel s win lleol arbennig iawn yn Ffrainc, gwin y mae'n rhaid mynd i'r lle a'r fan y tyf y gwinwydd er mwyn gwybod ei rin, Jurançon 1924 er enghraifft a blas mynyddoedd y Pyreneau ar bob diferyn. Felly'ch brawddegau chwithau, sy'n rhoi imi ffydd newydd yn ein hiaith a'n llenyddiaeth. Yr ydych yn un o'n meistri mawr ar briod-ddull, a rhaid aros ar bob paragraff i ymglywed i'r byw â rhinion y dywediadau a chyfoeth yr eirfa.

Y mae sgrifennu fel yna yn act o amddiffyniad i'r genedl.

Cofion gorau,
Saunders Lewis

Llythyr gan Saunders Lewis at Kate Roberts yn sôn am Traed mewn Cyffion ac yn dweud bod ei Chymraeg yn 'ddi-ben-draw o ardderchog'.
(Llyfrgell Genedlaethol Cymru – Llythyr 86 yn Annwyl Kate, Annwyl Saunders, gol. Dafydd Ifans, 1992)

ymladd yn erbyn amgylchiadau anodd – ac i sefyll ei thir yn erbyn cymeriadau pigog fel ei mam-yng-nghyfraith, Sioned Gruffydd. Un o nodweddion cymeriadau Kate Roberts yw nad ydynt yn barod i ildio i amgylchiadau anodd.

Mae bywydau Jane ac Ifan Gruffydd yn ddigon hapus yn y blynyddoedd cynnar, er bod y gwaith yn galed:

> Teimlai fod bywyd yn braf. Hyd yn hyn ni chafodd deimlo oddi wrth brinder. Deuai arian y moch i dalu'r dreth a llog yr arian a fenthyciwyd i brynu eu tyddyn, ac weithiau medrent dalu ychydig o'r hawl o'r cyflog. Rhyw ddiwrnod caent orffen talu hwnnw, a byddai'r tyddyn yn eiddo iddynt.

Ond wrth i'r teulu dyfu, dydy pethau ddim mor hawdd. Mae angen mwy o le arnyn nhw ac mae Ifan yn mynd ati i adeiladu darn arall at y tŷ. Mae'n gwneud hynny ar ben ei waith yn y chwarel ac ar y tyddyn ac mae'n mynd yn sâl iawn. Cânt helynt hefyd efo Sioned, un o'r merched, sy'n cael arian ar ôl mam Ifan – arian a ddylai fod wedi dod i Ifan ei hun – ac yn priodi Bertie, 'rhyw dili-do o'r dref'.

Wrth i'r plant dyfu a mynd eu gwahanol ffyrdd, cawn ddarlun o wahanol agweddau ar fywyd y cyfnod. Yn y chwarel mae William yn gweithio ond mae'n anfodlon iawn ar ei fyd. Mae'n uchel ei gloch dros hawliau'r gweithwyr ac yn dioddef oherwydd hynny. Does fawr o ddewis ganddo yn y diwedd ond gadael a mynd i chwilio am waith yn y De. Mae'r brodyr iau, Owen a Twm, yn cael mwy o lwyddiant ac yn ennill ysgoloriaeth i'r Ysgol Sir yn y dref ac i'r coleg ym Mangor. Ond mae eu llwyddiant yn dod â mwy o broblemau ariannol i'r teulu – doedd dim grantiau i fyfyrwyr yn y cyfnod hwnnw.

Mae hwylio Owen am y Coleg a William am y De ym mhenodau canol y nofel yn arwydd bod y teulu'n dechrau chwalu. Yn fuan wedyn daw'r Rhyfel Byd Cyntaf a'r chwalfa fawr. Hanes colli Twm yn y Rhyfel yw uchafbwynt y dioddef a'r annhegwch yn y nofel. Y golled hon, ac yn arbennig y ffordd y mae'r fam yn clywed am farwolaeth ei bachgen, yw'r digwyddiad sy'n crisialu holl annhegwch eu hamgylchiadau. Pan ddaw'r teligram, mae hwnnw yn Saesneg, a rhaid i Jane gerdded i lawr i'r pentref i ofyn i'r siopwr

GEIRFA

cyfwel'ad	interview
gweithredu	to act
dycnu ymlaen	to plod on, to keep at it
llef	cry
anghyfiawnder (cyfiawn)	justice (just)
tosturi	mercy
ar lawr	in dire straits
etifeddu	to inherit
yn ei anterth	in its prime, at its peak
llenydda	to write literature
mewnol	internal
dioddefaint	suffering

gyfieithu'r newyddion iddi fod ei mab wedi ei ladd.

Soniais ar y dechrau fod llawer o ddeunydd hunangofiannol yn *Traed Mewn Cyffion*. Dywedodd Kate Roberts mewn cyfweliad â J. E. Caerwyn Williams mai colli ei brawd yn y Rhyfel Byd Cyntaf a wnaeth iddi ddechrau ysgrifennu o ddifrif. 'Yr oedd yn rhaid imi ddweud rhywbeth neu suddo.' Mae Owen ar ddiwedd *Traed Mewn Cyffion* yn dweud na all ddioddef yn dawel o hyn ymlaen – bod yn rhaid gweithredu. Efallai mai ysgrifennu oedd ffordd Kate Roberts o weithredu. Yn yr un cyfweliad mae hi'n sôn am ei rhieni, ac mae'r un nodweddion yn union ganddyn nhw ag sydd gan Jane ac Ifan Gruffydd yn y nofel – 'eu gallu i ddycnu ymlaen er gwaethaf pob dim, eu llef yn erbyn anghyfiawnder, eu tosturi wrth bobl ar lawr ...' Ac mae Kate Roberts yn credu ei bod hi wedi etifeddu un peth oddi wrth ei mam, 'siarad yn blaen, neu fel y dywedai hi, "dweud y plaendra"'. Roedd hynny hefyd yn un o nodweddion Jane Gruffydd yn y nofel.

Mae *Traed Mewn Cyffion* yn perthyn i gyfnod cyntaf gwaith Kate Roberts. Mae'r rhan fwyaf o lyfrau'r cyfnod hwn yn sôn am fywyd yn Arfon, pan oedd y diwydiant llechi yn ei anterth. Ond cafodd Kate Roberts, fel Owen a Twm yn *Traed Mewn Cyffion*, addysg yn Ysgol Sir Caernarfon a Choleg Prifysgol Gogledd Cymru, Bangor. Buodd yn athrawes yn Ysgol Ystalyfera, Morgannwg, ac yn Aberdâr. Yna symudodd hi a'i gŵr, Morris T. Williams, i Ddinbych a phrynu Gwasg Gee – y wasg a oedd yn cyhoeddi'r papur wythnosol *Baner ac Amserau Cymru*. Ond yn 1946 bu farw Morris T. Williams, ac ar ôl iddo farw, dechreuodd Kate Roberts lenydda eto. Mae cymeriadau ei llyfrau'n dal i frwydro, ond mae llyfrau'r ail gyfnod yn sôn am fywyd dosbarth canol ac am frwydrau mwy mewnol. Un o lyfrau mwyaf adnabyddus y cyfnod hwn yw *Tywyll Heno*, sy'n sôn am brofiadau a phroblemau meddyliol gwraig gweinidog mewn tref debyg i Ddinbych.

Mae rhai pobl yn credu bod gwaith Kate Roberts yn rhy drist a diflas, ond er mai ysgrifennu am ddioddefaint a chaledi y mae hi, ac er ei bod yn teimlo dros ei chymeriadau, dydy hi byth yn eu gadael ar lawr. Mae cymeriadau'r ddau gyfnod, fel rhieni Kate Roberts ei hun, yn dangos cryfder a dycnwch. Maen nhw bob amser yn barod i ymladd, a hyd yn oed pan fydd pethau'n edrych yn anobeithiol, dydyn nhw byth yn anobeithio. Fel Jane Gruffydd, eu nod bob amser yw bywyd gwell. Mae gan Kate Roberts un stori o'r enw 'Y Taliad Olaf' sy'n sôn am wraig debyg i Jane Gruffydd. Ar hyd y blynyddoedd mae hi wedi cael coel neu gredyd gan y siopwr yn y pentref oherwydd nad oedd digon o arian yn dod i mewn i'r tŷ – mae hi wedi bod mewn dyled ar hyd ei bywyd priodasol. Ond o'r diwedd mae hi a'i gŵr wedi ymddeol a gwerthu'r tyddyn a symud i 'dŷ moel' (tŷ heb dir). Gall y wraig fynd i lawr i'r siop a chlirio'r ddyled ar ôl yr holl flynyddoedd. Edrych ymlaen at y dydd hwnnw y mae Jane Gruffydd yn *Traed Mewn Cyffion* hefyd. Yn y nofel, dydyn ni ddim yn cael gwybod a ydy hi'n llwyddo i glirio'r ddyled ai peidio – ond gallwn fod yn sicr y basai hi wedi dal ati i ymdrechu tan y diwedd.

Iaith *Traed Mewn Cyffion*

Mae llyfrau Kate Roberts yn llawn o dafodiaith gyhyrog Arfon. Cafodd ei magu mewn cymdeithas a oedd bron yn uniaith Gymraeg. Edrychwch am briod-ddulliau fel:

lluchio dy gylchau:
dangos dy dymer
bwrw drwyddi:
dweud y drefn, *to lay down the law*
cipio ar ei chyrn:
digio, dweud rhywbeth cas
cael gwasgfa:
llewygu, *to faint*

Llyfrau Kate Roberts

Dyma rai o'i llyfrau eraill:

O Gors y Bryniau – 1925
Ffair Gaeaf a Storïau Eraill – 1937
Stryd y Glep – 1949
Y Byw sy'n Cysgu – 1956
Te yn y Grug – 1959
Y Lôn Wen (hunangofiant) – 1960
Tywyll Heno – 1962
Hyn o Fyd – 1964
Tegwch y Bore – 1967
Prynu Dol a Storïau Eraill – 1969
Gobaith a Storïau Eraill – 1972

GEIRFA

dycnwch	perseverance, toughness
nod	aim, target
coel, credyd	credit
dyled	debt
ymdrechu	to struggle, to strive
cyhyrog	powerful, 'muscular'
uniaith	monoglot
priod-ddull(iau)	idiom(s)
hunangofiant	autobiography

William Jones – T. Rowland Hughes
1944

GEIRFA

y basai ...	that ... would
chwerthin lond ei fol	to laugh heartily
bwriad	intention
awgrymu	to suggest
hanfodion	essentials
darlunio cymeriad	to describe a character
braw	fear, trepidation
hynaws	gentle
sylweddoli	to realise
arwr	hero
cywiro	to correct
diffyg	defect
chwarelwr	quarryman
chwarel lechi (chwareli llechi)	slate quarry (-ies)
ormod o ddifrif	too seriously
cyngor	advice
llysenwi	to nickname
croendenau	'thin-skinned', too sensitive
piwis	short-tempered
ond i ti	you only have to
wsti (wyddost ti)	y'know
digri(f)	funny
doniolwch	humour
ffraeth	witty
dychan	satire
gor-bwysig	over-important
sefyllfa	situation
dyfalu	to guess
darlledu	to broadcast
Rargian fawr!	Great Scott!
dychmygu	to imagine

Tasai rhywun wedi dweud wrth T. Rowland Hughes y basai *William Jones* yn cael ei gynnwys mewn rhestr o 'lyfrau Cymraeg enwog' ar ddiwedd yr ugeinfed ganrif, mae'n siŵr y basai wedi chwerthin lond ei fol! Yn sicr, nid ysgrifennu 'nofel fawr' oedd ei fwriad wrth ysgrifennu *William Jones*. Yn wir, mae rhai llinellau yn y nofel yn awgrymu ei fod eisiau ysgrifennu parodi ar 'y nofel fawr':

> Un o hanfodion nofelydd gwir fawr, meddant hwy, yw'r gallu i ddarlunio cymeriad. Gyda braw, ddarllenydd hynaws, y sylweddolaf i mi anghofio tynnu darlun o William Jones, arwr y nofel hon. Brysiaf i gywiro'r diffyg.

Cafodd T. Rowland Hughes ei fagu yn Llanberis, yn fab i chwarelwr. Roedd cymdeithas glòs iawn yn ardal y chwareli llechi a llawer iawn o dynnu coes yn y chwarel ei hun. Efallai bod cymdeithas yr ardal wedi dysgu T. Rowland Hughes i chwerthin am ei ben ei hun, i beidio â'i gymryd ei hun ormod o ddifrif. Yn ei nofel *O Law i Law*, mae'r bachgen ifanc, John Davies, ar ei ffordd i'r chwarel ar ei fore cyntaf ac yn cael y cyngor yma gan ei Ewythr Huw:

Rhaid i ti ddysgu chwerthin am dy ben dy hun dipyn yn y chwaral. Ne' mi fyddi di'n siŵr o gael dy lysenwi'n 'John Croendena' ne' 'Siôn Piwis' ne' rwbath tebyg. Ac ond i ti dy weld dy hun yn iawn, wsti, mi ddoi di i ddysgu dy fod ti'n llawn mor ddigri â neb arall.

Yn sicr mae llawer iawn o ddoniolwch yn *William Jones*. Arwydd o hynny yw mai ei llinell enwocaf yw 'Cadw dy blydi chips'! Mae peth o'r hiwmor wedi dyddio erbyn hyn, ond mae llawer o'r llyfr yn dal yn ddoniol heddiw. Weithiau byddwch chi'n chwerthin am ben yr hiwmor sych a ffraeth, weithiau am ben y dychan ysgafn ar gymeriadau diog neu or-bwysig, weithiau am ben doniolwch cymeriad neu sefyllfa. Un o'r darnau mwyaf doniol yw'r darn lle mae Leusa, gwraig William Jones, yn ceisio dyfalu beth yn union y mae William yn ei wneud yn y De. Mae'r hanes amdano'n darlledu ar y radio wedi cyrraedd Llan-y-graig. Ond dydy Leusa ddim wedi clywed y geiriau 'darlledu' a 'radio'. Yr unig gliwiau sy ganddi hi yw 'Chwarter wedi wyth nos Wener. Stesion Caerdydd ... miloedd yn gwrando arno fo ... arian mawr.' Rargian fawr! Mae'n dychmygu pob math o bethau!

Beth a wnaethai William? Ennill medal arall? Yn y gwaith glo, efallai. Cafodd Leusa gip o'i gŵr yn rhuthro drwy fflamau enbyd mewn pwll glo ac yn dychwelyd drwy'r tân, a'i wallt a'i aeliau wedi'u llosgi ymaith, â choliar ar bob ysgwydd ac un dan bob braich. Ond sut y deuai'r canu i mewn i'r stori?

Ac mae'r dychmygu a'r doniolwch yn mynd ymlaen ac ymlaen. Ddylen ni felly gymryd y nofel o ddifrif o gwbl? A pham ei chynnwys mewn llyfr fel

Golygfa o ddrama lwyfan Cwmni Theatr Gwynedd, William Jones yn 1995, gyda Mici Plwm fel William Jones a Wynford Ellis Owen fel Shinc (Cwmni Theatr Gwynedd)

hwn? Daeth y nofel yn adnabyddus yn rhannol am ei hiwmor. Ond roedd rhesymau eraill hefyd.

Y stori

Chwarelwr yw'r 'arwr', William Jones ei hun. Er mai go brin y gallech ei alw'n arwr ar ddechrau'r llyfr. Mae'n dipyn o lo llywaeth, a dweud y gwir. Mae'n cael ei drin fel baw gan ei wraig – sy'n gwario ei arian i gyd ar gael 'perms', prynu dillad newydd, mynd i'r sinema, a hyd yn oed ar gamblo ar geffylau. Mae'r tŷ yn flêr, dydy hi ddim yn codi i wneud brecwast iddo, a phan ddaw William Jones adref o'r chwarel ar ôl diwrnod caled o waith, yr unig fwyd sy gan Leusa iddo yw plataid o frôn a phicyls. O – a'r *chips* o'r siop *chips*. Os yw William yn dweud y drefn, mae Leusa'n dechrau snwffian crio, neu'n chwerthin am ei ben. Wel, mae William yn cael digon. Mae'n gweiddi 'Cadw dy blydi *chips*' ar Leusa, yn pacio ei fasged wellt ac yn dianc i'r de at ei chwaer a'i theulu.

Cawn ychydig o'i hanes yn ystod ei flwyddyn gyntaf yng Nghwm Rhondda. Cawn hefyd deyrnged i'r gymdeithas glòs a chynnes yno, ac i ddewrder y glowyr a'u teuluoedd yn

ystod blynyddoedd caled y 1930au. Mae llawer o sôn am afiechyd yn y nofel, yn enwedig am afiechyd Crad, brawd-yng-nghyfraith William Jones. Roedd T. Rowland Hughes ei hun yn dioddef o afiechyd pan ysgrifennodd ei nofelau ac roedd afiechydon y llwch yn gyffredin yn ardaloedd y glo a'r llechi. Ond er tristwch afiechyd Crad, mae pethau'n gwella i William Jones ac mae wrth ei fodd yng nghanol pobl y Rhondda. Mae'n cael gwaith rhan-amser gyda'r BBC a gwaith wedyn yn y ffatri *munitions* –

GEIRFA	
cip	glance, vision
enbyd	dire
ael(iau)	eyebrow(s)
adnabyddus	well-known
er mai go brin y gallech	... although you could hardly ...
llo llywaeth	wet rag (lit. 'tame calf')
dweud y drefn	to tell off
teyrnged	tribute
dewrder	bravery
afiechyd(on)	disease(s), sickness(es)
yn enwedig	especially
er tristwch	in spite of the sadness

GEIRFA

ar y gorwel	on the horizon
nifer	a number
hanes(ion)	story (-ies)
difyr	entertaining
atgofion	memories
tro trwstan	amusing,
	clumsy happening
llu	a host
caeth	restricted
difyrru	to entertain
anturiaeth(au)	adventure(s), exploit(s)
anystywallt	wild
sgîm(s)	scheme(s)
adroddiad(au)	report(s)
rhaffu	to string together
cynhyrchydd	producer
diddanu	to entertain
cynulleidfa	audience
llithrig	flowing
diddan	entertaining
cofiadwy	memorable
rhinwedd(au)	virtue(s)
diwydiannol	industrial
gwahaniaeth(au)	difference(s)
amgylchiadau	conditions
diweithdra	unemployment
hynod o	extremely
ymateb	to respond
creulondeb	cruelty

mae'r nofel yn gorffen â rhyfel ar y gorwel.

Mae'n stori syml iawn, felly. Efallai y byddwch chi'n teimlo nad oes llawer yn digwydd ynddi. Cyfle i gysylltu nifer o hanesion difyr a digrif â'i gilydd yw'r plot mewn gwirionedd – atgofion yr awdur ei hun, siŵr o fod. Ar y dechrau, wrth baratoi i adael Leusa a Llan-y-graig, mae William ei hun yn cofio llawer stori a thro trwstan, a llu o gymeriadau doniol. Yna, wrth orwedd yn ei ystafell yn gaeth i'w wely, mae Crad yn ei ddifyrru ei hun, a ninnau, drwy gofio ei anturiaethau fel bachgen ysgol a dyn ifanc anystywallt. Ychwanegwch 'sgîms' Wili John, pregethau Mr Rogers ac adroddiadau ar gyngherddau a dramâu, a dyna'r rhan fwyaf o'r nofel. Yr un math o nofel yw O Law i Law – yr 'arwr' yn rhaffu atgofion wrth werthu dodrefn o'i hen gartref. Ac mae'r cyfan wedi ei adrodd yn ddoniol a difyr.

Teyrnged i gymdeithas

Bu T. Rowland Hughes yn gweithio am flynyddoedd fel cynhyrchydd rhaglenni i'r BBC yng Nghaerdydd.

Felly roedd yn gwybod sut i ddiddanu cynulleidfa, sut i adrodd stori'n ddifyr, creu cymeriad doniol, ac yn arbennig ysgrifennu deialog lithrig a naturiol. Ers cyfnod Daniel Owen, doedd dim llawer o nofelau diddan a chofiadwy wedi cael eu hysgrifennu. Ac yn sicr daeth T. Rowland Hughes i lenwi bwlch. Ond fyddai hi ddim yn deg dweud mai dim ond diddanu a wnaeth yn William Jones a'i bedair nofel arall – O Law i Law, Y Cychwyn, Yr Ogof a Chwalfa. I lawer o bobl, teyrnged i rinweddau cymdeithas arbennig sydd yn y nofelau hyn. Yn William Jones mae darlun o ddwy gymdeithas ddiwydiannol – cymdeithas ardal y chwareli yn y gogledd a chymdeithas cymoedd glo y de. Er ei fod yn tynnu sylw at y gwahaniaethau rhwng de a gogledd weithiau, yr un rhinweddau a welodd ym mhobl y ddwy gymdeithas. Wrth gwrs, roedd yr amgylchiadau'n ddigon tebyg. Roedd bywyd yn galed iawn weithiau – yn arbennig ar adeg o streic fel yn Chwalfa neu ar adeg o ddiweithdra mawr fel yn William Jones. A phan oedd gwaith i'w gael, roedd o'n waith caled a hynod o beryglus. Gwelodd T. Rowland Hughes bobl yn ymateb i greulondeb bywyd gyda charedigrwydd a dewrder, haelioni ac aberth, ac yn bennaf oll, gyda hiwmor di-ildio.

Beirniadu

Roedd yn ddigon parod i feirniadu pobl hefyd – beirniadu'n ddigon caredig, cofiwch. Doedd o ddim yn hoff iawn o bobl hunan-bwysig a bombastig – fel Twm Edwards y cynhyrchydd drama – ac mae'n chwerthin am eu pennau. A doedd o ddim yn ddall – roedd o'n cydnabod bod ochr amharchus i gymdeithas hefyd. Efallai mai disgrifiad braidd yn wan a gawn o Stubb Street yn *William Jones* ond, mewn rhyw ffordd, mae'r gwrthgyferbyniad rhwng pobl onest, weithgar, lân a chrefyddol ar y naill law, a phobl ddiog, wastraffus, flêr a hunanol ar y llall yn bwysig yn y nofel. William Jones v. Leusa ei wraig. Meri ei chwaer v. y Crad ifanc, gwyllt. Yn ffodus, mae digon o rinweddau yn Crad

T. Rowland Hughes, portread olew gan David Bell (Mrs Megan Bell a'r Amgueddfa a'r Oriel Genedlaethol, Caerdydd)

iddo gael ei achub gan weinidog o'r De!

Cafodd *William Jones* ei throi'n gyfres deledu fer gan y BBC a'i darlledu ar S4C ym 1993 a 1995. Ac ym 1995 hefyd cafodd ei chyflwyno fel drama lwyfan gan Gwmni Theatr Gwynedd yn Eisteddfod Genedlaethol Bae Colwyn, gan fynd ar daith trwy Gymru wedyn.
Dylech ddarllen *William Jones*. Mae'n un o'r llyfrau sy wedi eu talfyrru gan Basil Davies yn y gyfres *Cam at y Cewri* a gyhoeddir gan Wasg Gomer.

Efallai na fyddwch yn eistedd ar flaen eich sedd ar dân eisiau gwybod beth sy'n digwydd nesaf. Ond byddwch yn gwenu llawer ac yn chwerthin yn uchel weithiau. Byddwch hefyd yn ymwybodol iawn o'r tristwch sy'n agos iawn i'r wyneb, o'r dioddef yn ein hardaloedd diwydiannol yn y cyfnod rhwng y ddau ryfel, ac o ddewrder mawr pobl gyffredin.

Cysgod y Cryman – Islwyn Ffowc Elis
1953

GEIRFA

brodor	native
darllenadwy	readable
carwriaeth	love affair
denu	to attract, to draw
dieithr	strange, unfamiliar
na'r un a ddisgrifiwyd	than the one described
cefn gwlad Cymru	rural Wales
allwedd	key
sylwadau	comments
tymhorau'r flwyddyn	the seasons of the year
moethus	luxurious
drych	mirror, reflection
toreithiog	abundant

Islwyn Ffowc Elis
Brodor o Ddyffryn Ceiriog ger Llangollen. Bu'n weinidog, yn gynhyrchydd radio ac yn ddarlithydd, ond treuliodd gyfnodau hefyd yn awdur amser-llawn.

Talfyriad Basil Davies
Mae *Cysgod y Cryman* ac *Yn ôl i Leifior* (fersiynau byrrach o'r nofelau a baratowyd gan Basil Davies) wedi eu cyhoeddi yn y gyfres *Cam at y Cewri* gan Wasg Gomer.

Cyhoeddwyd *Cysgod y Cryman* yn 1953 a chafodd groeso mawr, yn arbennig gan bobl ifanc. Roedd nofelau Cymraeg poblogaidd yn dal yn ddigon prin, ac roedd hon yn nofel am bobl ifanc, yn ddarllenadwy, ac roedd stori dda ynddi (gan gynnwys pum neu chwe charwriaeth!). Yn sicr llwyddodd Islwyn Ffowc Elis i ddenu pobl i ddarllen nofelau Cymraeg.

Ond wrth ddechrau darllen pennod gyntaf y nofel byddwch yn darganfod llawer sy'n ddieithr i chi. I lawer ohonoch, bydd y gymdeithas sy'n cael ei disgrifio yn *Cysgod y Cryman* yn fwy dieithr na'r un a ddisgrifiwyd yn *Monica* dros ugain mlynedd ynghynt. Cymdeithas yng nghefn gwlad Cymru sydd yma, mewn cyfnod pan oedd y capel yn dal yn bwysig a'r Gymraeg yn cael ei siarad gan bawb. Bydd pethau eraill sy'n ddieithr ynglŷn â'r gymdeithas hefyd. Mae'r bennod gyntaf, wrth gwrs, yn allwedd i weddill y nofel. Wedi i chi ddarllen a deall y bennod gyntaf, byddwch wedi 'cracio'r cod'! Gobeithio y bydd y sylwadau hyn yn ychydig o help i chi wneud hynny.

Mae'r bennod yn dechrau trwy ddisgrifio un o dymhorau'r flwyddyn.

Mae disgrifiadau moethus fel hyn o dymhorau byd natur yn digwydd trwy'r nofel. Ar y newid tymhorau hwn, wrth gwrs, y mae'r gymdeithas amaethyddol yn dibynnu. Weithiau mae'r tymhorau'n ddrych o beth sydd yn digwydd yn y nofel. Yn y bennod gyntaf mae'r disgrifiad o'r 'haf toreithiog' yn Nyffryn Aerwen yn creu

Islwyn Ffowc Elis (S4C)

cefndir addas i blasty Lleifior, canolbwynt y nofel a chartref teulu'r Vaughaniaid. Ar ddiwedd yr ail baragraff rydyn ni'n cwrdd â phrif gymeriad cymdeithas Dyffryn Aerwen – Edward Vaughan – a chawn wybod am ei safle cymdeithasol.

Yna, daw'r sgwrs rhwng Edward Vaughan a'i wraig, Margaret, a chawn wybod eu bod yn disgwyl eu mab, Henri (Harri) yn ôl o'r coleg. Mae'r rhannau sy'n dilyn yn cynnwys sawl arwydd o bwysigrwydd a chyfoeth teulu Lleifior – arfbais y Vaughaniaid uwch y silff-ben-tân, y car newydd, Harri a Greta'n 'taro'u tocynnau yn llaw'r gorsaf-feistr fel rhai cynefin â gweision'. Ac yna'r disgrifiad o berffeithrwydd Lleifior wrth i Harri ei weld am y tro cyntaf ers 12 wythnos. A hyd yn oed y disgrifiad o Harri'n llithro i lawr y grisiau ac ymateb ei dad i hynny – 'Nid ar ei gefn ar lawr oedd lle etifedd Lleifior'. Nid teulu cyffredin yw teulu Lleifior, ond arweinwyr cymdeithas ers cenedlaethau.

Ond cyn diwedd y bennod mae prif thema'r nofel yn cael ei gosod – y newid cymdeithasol sydd yn mynd i ddod, hyd yn oed i lefydd fel Lleifior. Cafodd y nofel ei chyhoeddi wyth

mlynedd ar ôl diwedd yr Ail Ryfel Byd, yn fuan wedi i'r 'llen haearn syrthio ar draws Ewrop', ac roedd yn naturiol bod pobl yn meddwl, ac yn hanner ofni, bod newid cymdeithasol mawr ar ddod. Mae hynny'n arwain at wrthdaro yn y nofel rhwng Harri, y myfyriwr ifanc â dylanwad syniadau newydd arno, a'i dad Edward Vaughan, etifedd a cheidwad sefydlogrwydd cymdeithasol. Mae'r sgwrs rhwng Harri a'i dad ar ddiwedd y bennod gyntaf yn arwydd o sut bydd y nofel yn datblygu:

> 'Mae arna'i ofn fod pethe'n newid.'
> 'Newid?'
> Trodd Harri yntau o'r ffenest a gweld ei dad yn syllu arno.
> 'Methu peidio â theimlo'r ydw i, ym mêr fy esgyrn yn rhywle, nad ydi'r pethe fu'n cyfri – enw, safle, cyfoeth – nad yden'hw ddim yn mynd i gyfri llawer byth eto. Maen' hw wedi peidio â chyfri dros ran helaeth o'r wlad yma. Maen' hw'n dal i lochesu yma, yn y rhan yma o Bowys. Ond 'rwy'n ofni rywfodd na fyddan'hw ddim yn cyfri yma chwaith yn hir.'

Wrth i'r stori ddatblygu, wrth gwrs, gwelwn fod y tyndra a'r gwrthdaro yn effeithio ar gymdeithas gyfan, nid ar Harri a'i dad yn unig. Mae'r syniad

GEIRFA

cefndir addas	suitable background
canolbwynt	central point, focus
safle cymdeithasol	social status
cyfoeth	wealth
arfbais	coat of arms
gorsaf-feistr	station-master
cynefin â	familiar with
perffeithrwydd	perfection
ymateb	response
etifedd	heir
cenhedlaeth (cenedlaethau)	generation(s)
newid cymdeithasol	social change
llen haearn	iron curtain
ar ddod	about to come/ happen
gwrthdaro	conflict
ceidwad	guardian
sefydlogrwydd	stability
llochesu	to take shelter
rhywfodd	somehow
tyndra	tension

GEIRFA

hawl(iau)	right(s)
herio	to challenge
bonheddig	gentlemanly
ysgrif(au)	essay(s)
y Fedal Ryddiaith	the Prose Medal

Stori Lleifior yn parhau

Yn *Yn ôl i Leifior* (1956) aeth Islwyn Ffowc Elis â'r stori yn ei blaen. Yna, ar ôl bron 40 mlynedd, daeth mwy o hanes Lleifior y genhedlaeth nesaf mewn cyfresi drama ar S4C yn y 1990au.

Llun o'r gyfres deledu, Lleifior – Harri Vaughan ymhen blynyddoedd yn cwrdd â merch Gwylan (Siân Rivers a J.O.Roberts) (Martin Roberts)

bod gan bobl hawliau a safle cymdeithasol arbennig dim ond oherwydd bod ganddyn nhw arian yn cael ei herio gan fwy nag un cymeriad, mewn gwahanol ffyrdd – gan Wil James, yr 'iob' diog o was, Gwylan y gomiwnyddes, Karl y Cristion bonheddig o'r Almaen, a Harri ei hun, wrth gwrs. Ond mae hadau'r stori wedi eu hau yn y bennod gyntaf.

Llyfrau eraill gan Islwyn Ffowc Elis

Cyn Oeri'r Gwaed, 1952 – cyfrol o ysgrifau a enillodd y Fedal Ryddiaith yn yr Eisteddfod Genedlaethol

Ffenestri Tua'r Gwyll, 1953 – nofel

Yn ôl i Leifior, 1956 – nofel

Wythnos yng Nghymru Fydd, 1957 – nofel am Gymru'r dyfodol

Blas y Cynfyd, 1958 – nofel

Tabyrddau'r Babongo, 1961 – nofel ysgafn

Y Blaned Dirion, 1968 – nofel

Y Gromlech yn yr Haidd, 1971 – nofel

Eira Mawr, 1972 – nofel

Harris, 1973 – drama

Marwydos, 1974 – casgliad o storïau byrion

Un Nos Ola Leuad – Caradog Prichard
1961

Dyma un o'r nofelau gorau yn y Gymraeg. Gallwch ei darllen dro ar ôl tro, a chael rhywbeth newydd ynddi bob tro. Ond dydy hi ddim yn nofel hawdd – ddim hyd yn oed i Gymry Cymraeg o ardal Bethesda, lle cafodd y stori ei lleoli a lle magwyd Caradog Prichard (1904-1980).

Dyma baragraff cyntaf y nofel. Bydd yn rhoi syniad eitha da i chi o natur y nofel gyfan:

> Mi a i ofyn i Fam Huw gaiff o ddwad allan i chwara. Gaiff Huw ddwad allan i chwara, O Frenhines y Llyn Du? Na chaiff, mae o yn ei wely a dyna lle dylet titha fod, yr hen drychfil bach, yn lle mynd o gwmpas i gadw reiat 'radeg yma o'r nos. Lle buoch chi ddoe'n gwneud dryga a gyrru pobol y pentra ma o'u coua?

Mae'r paragraff yn codi llawer o gwestiynau. Pwy ydy'r person sy'n dweud y stori? Pam mae o'n galw Mam Huw yn 'Frenhines y Llyn Du'? Pam mae 'pobol y pentra' wedi 'mynd o'u coua'? Pam mae'r person yn dweud y stori yn iaith plentyn – tafodiaith plentyn o Fethesda? Pam mae 'mam Huw' neu 'Frenhines y Llyn Du' yn swnio mor ddig? Wrth ddarllen y stori, rydyn ni'n dod i ddeall yr atebion i lawer o'r cwestiynau hyn – neu, o leiaf, atebion posibl iddyn nhw. Ond mae llawer o ddirgelwch yn perthyn i'r nofel hyd yn oed ar ôl inni ddarllen i'r diwedd. Mae hynny'n ei gwneud yn 'anodd' – ond mae hefyd yn rhoi llawer o swyn iddi. Mae hi'n nofel sy'n 'aros' gyda chi am hir wedi ichi orffen ei darllen.

Mae'n amlwg o'r paragraff cyntaf mai byd plentyn ydy byd y nofel. Dyn

Caradog Prichard
(Llyfrgell Genedlaethol Cymru)

41

GEIRFA	
lleoli	to locate
gaiff o	can he, (whether) he can
trychfil	worm
cadw reiat	making a riot
'radeg yma (yr adeg yma)	this time
dryga (drygau)	mischief, wrong-doings
o'u coua	out of their minds, mad
tafodiaith	dialect
dig	angry
dirgelwch	mystery
swyn	charm
amlwg	obvious

GEIRFA

digwyddiadau	events
fel petai	as if he
cymysgu	to confuse
salwch meddwl	mental illness
hunanladdiad	suicide
sylweddoli	to realise
adrodd	to relate, to tell
llofruddiaeth	murder
trefn	order
gwibio	to dart
atgof(ion)	memory (memories)
llenor	writer
atgoffa	to remind
fframwaith	framework
newyddiadurwr	journalist
yn olynol	in succession
hunangofiannol	autobiographical

Bywyd Caradog Prichard (1904-1980)

Newyddiadurwr oedd Caradog Prichard. Buodd e'n gweithio ar bapurau yng Nghymru ac yn Llundain, gan gynnwys y *Daily Telegraph*. Roedd yn fardd hefyd ac enillodd y Goron yn yr Eisteddfod Genedlaethol dair gwaith yn olynol – yn 1927, 1928 ac 1929. Mae'n debyg bod y cerddi a'r nofel *Un Nos Ola Leuad* yn eithaf hunangofiannol. Buodd ei fam yn dioddef o salwch meddwl am flynyddoedd.

mewn oed sy'n dweud y stori, ond cofio digwyddiadau o'i blentyndod y mae'r storïwr. Weithiau hefyd, fel yn y paragraff cyntaf, mae fel petai'n anghofio ei fod wedi tyfu'n ddyn, ac mae'n cymysgu rhwng y presennol a'r gorffennol. 'Mi a i ofyn i Fam Huw gaiff o ddwad allan i chwara.' Mae fel petai meddwl y dyn wedi ei rewi yn y gorffennol. Mae'n dal i ddefnyddio iaith plentyn hefyd. Pam? Mae llawer o sôn yn y nofel am salwch meddwl, ac am hunanladdiad. Ac wrth ddarllen y stori rydyn ni'n dechrau sylweddoli bod salwch meddwl ar y storïwr hefyd. Mae'r nofel yn adrodd am y digwyddiadau sy'n arwain at ei salwch meddwl, at lofruddiaeth merch ifanc ac, efallai, at hunanladdiad.

'Meddwl plentyn' sy'n cofio'r digwyddiadau, felly does dim trefn arbennig iddyn nhw. Mae popeth yn digwydd o fewn cyfnod o ryw bedair blynedd, pan oedd y bachgen rhwng tua deg a phedair ar ddeg oed, ond mae meddwl y storïwr yn gwibio o ddigwyddiad i ddigwyddiad – un atgof yn deffro un arall. Mae fel tasen ni'n cael edrych i mewn i'w feddwl a gweld yr atgofion yn rhuthro

trwyddo, heb fod unrhyw lenor wedi rhoi trefn 'stori' arnyn nhw. Eto, mae 'na ryw fath o drefn. Mae'r person sy'n dweud y stori wedi dod yn ôl i'r 'pentra' (y pentref – Bethesda, mae'n debyg) ac mae'n cerdded trwy'r pentref i Ben Llyn Du. Ar y ffordd mae pethau'n ei atgoffa am wahanol ddigwyddiadau yn ei hanes ac yn hanes cymeriadau'r pentref. Mae'r daith i Ben Llyn Du yn rhoi rhyw fath o fframwaith i'r stori, ac yn sicr mae'n gwneud inni deimlo bod y

Dyfan Roberts yn y ffilm 'Un Nos Ola Leuad' (Gaucho)

digwyddiadau'n symud ymlaen yn anorfod at ryw ddiwedd ofnadwy.

Wrth i'r storïwr fynd ymlaen ar ei daith at Ben Llyn Du, rydyn ni'n clywed mwy a mwy am y digwyddiadau anffodus sy'n arwain at ei salwch meddwl a'i drosedd. Mae'n amlwg mai ei fam yw canolbwynt ei fywyd ifanc a bod ei fam yn hiraethu am ei dad. Dydyn ni ddim yn gwybod yn iawn beth ddigwyddodd i dad y bachgen, na phwy oedd. Efallai ei fod wedi cael ei ladd yn y chwarel, neu wedi gadael y fam a mynd i ffwrdd, neu efallai nad oedd yn briod â'r fam o gwbl. Mae llawer o awgrymiadau bod y fam yn hiraethu am y tad, ac mae rhai o weithiau eraill Caradog Prichard wedi defnyddio'r un thema – gwraig yn hiraethu gymaint am ei gŵr nes drysu yn ei meddwl. Mae'r naill ddigwyddiad ar ôl y llall yn llethu'r fam. Mae hi a'i mab yn byw mewn tlodi mawr. Mae'n dibynnu ar 'y plwy' ac ar garedigrwydd rhai o bobl y pentref. Mae hi hefyd yn gweithio yn y 'Ficrej' i'r Canon ac yn dod â dillad adref i'w smwddio. Pan fydd y Canon yn marw, mae hi nid yn unig yn colli rhywun yr oedd hi'n meddwl y byd ohono, ond mae hi'n colli ei

bywoliaeth hefyd. Mae'r tristwch mawr yn ei bywyd yn amlwg i'r bachgen, ond plentyn ydy o, a dydy o ddim yn cymryd llawer o sylw:

A dyma Mam yn stopio smwddio'n sydyn a dechra crio.
Be sy, Mam? Peidiwch â crio, medda fi, ond doeddwn i ddim yn poeni llawer, achos mi fydda Mam yn crio'n ddistaw bach am rywbath o hyd ac roeddwn i wedi arfar efo hi.

Mae awgrym yma, efallai, bod bywyd yn dechrau mynd yn ormod i'r fam. Ac eto, er y tristwch, mae'r storïwr yn cysylltu llawer o atgofion hapus â'i fam hefyd ac mae awyrgylch gynnes, glòs i lawer rhan o'r llyfr:

Dew! oedd hi'n bnawn braf, a'r haul yn gneud ogla da ar y gwair a'r awyr mor glir nes oeddwn i'n medru gweld Mam yn rhoid dillad ar y lein ar waelod Cae Ficrej. Dyna pam mae hi mor braf, medda Nel, am ei bod hi'n Ddydd Iau Dyrchafael.

Mae hwn yn ddarlun o baradwys plentyn. Mae popeth yn dda, ar yr olwg gyntaf, beth bynnag. Y tywydd, yr ogla da ar y gwair, yr awyr heb gwmwl, a'r plentyn yn gallu gweld ei

Y Ffilm
Cafodd ffilm ardderchog ei gwneud o *Un Nos Ola Leuad* gan Endaf Emlyn ar gyfer y sinema ac S4C. Dyfan Roberts oedd yn actio'r 'dyn'. Mae'n werth ei gweld os cewch chi gyfle.

GEIRFA

yn raddol	*gradually*
ymwybodol	*aware*
bygythiadau	*threats*
cysylltiedig	*connected*
ymwybyddiaeth rywiol	*sexual awareness*
cysgod	*shadow*
trais	*violence, rape*
oddi ar ei hechel	*off the rails*
yn llwyr	*completely*
cyfrannu	*to contribute*
gorffwylltra	*madness*
eithriadol	*extreme*
ymadawiad	*departure*
llythyren (llythrennau)	*letter(s)*
ymadrodd(ion)	*phrase(s)*
cloi	*to lock*

fam. A Duw yn Ei le ar Ddydd Iau Dyrchafael. Eto, mae'r byd yn newid, y plentyn yn dod yn raddol ymwybodol o newidiadau a bygythiadau ac, fel yn y darn yma, yn aml iawn maen nhw'n gysylltiedig â deffro'r ymwybyddiaeth rywiol:

> Ond mi gododd Cêt a dechra crio. Mi ddeuda i wrth Mam, medda hi, a crio fel wn i ddim beth, a rhedag adra.

Yn raddol, mae cysgod digwyddiadau mwy tywyll a sinistr yn disgyn dros fywyd y fam ac mae ymweliad a thrais 'Yncl Wil' yn ei gyrru oddi ar ei hechel yn llwyr; rhaid i'r bachgen fynd â'i fam ei hun i'r 'Seilam', sef Ysbyty Meddwl Gogledd Cymru yn Ninbych, ac mae hynny, yn ei dro, yn un o'r pethau sy'n arwain at ei salwch meddwl ei hun. Ond mae'n amlwg ar hyd y nofel bod llawer o bethau eraill yn cyfrannu at ddryswch ei feddwl, pethau fel gorffwylltra Em, Brawd Mawr Now Bach Glo a Wil Elis Portar, marwolaeth Moi, un o'i ffrindiau, a thristwch eithriadol ymadawiad ei ffrind gorau, Huw, am y Sowth, a hynny ar yr un diwrnod ag y mae ei fam yn mynd yn sâl. Yr awgrym yw bod popeth yn mynd yn ormod iddo fo eu dioddef hefyd, a bod y diwedd trist rywsut yn anorfod.

Iaith *Un Nos Ola Leuad*

Tafodiaith Bethesda yw iaith y rhan fwyaf o'r nofel – ond tafodiaith plentyn o Fethesda. Fel yn y rhan fwyaf o Wynedd, mae **-au** ac **-ai** yn mynd yn **-a**: meddai > medda, blaenau > blaena; ac yn aml iawn mae **-e** yn mynd yn **-a**: bore > bora, uffern > uffarn, oedden > oeddan, mynwant, rhedag, chwaral etc. Weithiau mae llythrennau'n mynd ar goll fel yn g(w)neud, chw(y)rnu, be(th), ne(u), deudith (dywedith). Dydy'r gair 'fy' ddim yn cael ei ysgrifennu'n aml, er enghraifft ynghyw i (fy nghyw i – '*my pet*'), ac mae llawer iawn o eiriau ac ymadroddion tafodieithol fel nerth dy begla (nerth dy draed), sleifio (*to sneak about*), sbio (*to look*), hancaits (*handkerchief*), i gluo hi (*to disappear smartly*), cadw reiat (*to make a racket*) a llawer llawer mwy.

Mae hyn i gyd yn ychwanegu at y teimlad ein bod yn edrych i mewn i feddwl y person hwn sydd wedi ei gloi yn ei blentyndod. Mae o hyd yn oed yn defnyddio'r enwau oedd gan y plant ar gymeriadau'r pentref – enwau fel 'Tad Wil Bach Plismon' (sef y Plismon!). Mae hefyd yn cysylltu geiriau â'i gilydd, fel y bydd plant cyn iddyn nhw sylweddoli beth yw'r gwahanol rannau mewn ymadroddion, er enghraifft ynolagymlaen (yn ôl ac ymlaen), wnimbê (wn i ddim beth).

Cerddi'r Llais

Mae dwy ran o *Un Nos Ola Leuad* sy hyd yn oed yn fwy anodd na'r gweddill, sef Pennod VIII, a rhan olaf y bennod olaf. Ym Mhennod VIII, 'Brenhines yr Wyddfa' sy'n siarad, hi yw'r 'Llais'; yn y bennod olaf, 'Brenhines y Llyn Du' yw'r Llais. Mae arddull y ddau ddarn yn hollol wahanol i arddull gweddill y nofel. Nid tafodiaith sydd yma ond iaith ffurfiol, lenyddol, debyg i iaith barddoniaeth y Beibl (er enghraifft iaith Caniad Solomon). Mae 'Brenhines yr Wyddfa' yn hiraethu am ei 'Pherson Hardd', ac er bod yr aros yn hir, mae hi'n dal i obeithio, mae'n sicr y bydd yn dod cyn hir – 'efe a ddaw, efe a ddaw'. Ond ar ddiwedd y nofel, mae 'Brenhines y Llyn Du' wedi colli pob gobaith – hi yw 'gwrthodedig y Person Hardd'. Mae

hyn yn adlewyrchu bywyd y fam a'r plentyn, a'r daith drist i Ben Llyn Du.

Y cyfnod a'r cefndir crefyddol

Cyfnod y Rhyfel Byd Cyntaf yw cyfnod y nofel. Mae sôn ynddi am farwolaeth meibion y Canon a Preis Sgŵl yn y rhyfel ac am roi croeso arwr i un o fechgyn y pentref a ddaeth yn ôl ar ymweliad. Ond dydy'r rhyfel ddim yn effeithio llawer ar fywyd y bechgyn. Dydy'r chwarel chwaith ddim mor bwysig ag y byddech yn disgwyl iddi fod mewn nofel am ardal Bethesda. Fel y soniodd Dafydd Glyn Jones mewn erthygl yn *Dyrnaid o Awduron Cyfoes*, am yr un ardal yr ysgrifennodd T. Rowland Hughes lawer o'i nofelau ond roedd y chwarel yn llawer pwysicach yn ei waith o. Mae crefydd yn fwy pwysig i'r cymeriadau, ond yn wahanol i lawer o awduron Cymraeg, yr Eglwys, nid y capel, yw'r cefndir. Darlun o'r Eglwys trwy lygaid plentyn sydd yma wrth gwrs, ond mae'n amlwg bod y dylanwad yn gryf. Mae'n debyg bod Caradog Prichard wedi ystyried mynd yn offeiriad ar un adeg.

Cyfieithwyd *Un Nos Ola Leuad* i'r Saesneg gan Menna Gallie dan y teitl *Full Moon* (1973) a chan Philip Mitchell dan y teitl *One Moonlit Night* (1995).

Y Stafell Ddirgel – Marion Eames
1969

GEIRFA

dirgel	secret
ysbrydoli	to inspire
cynrychioli	to represent
gororau	borders
y Rhyfel Cartref	the Civil War
dilys	genuine, valid
arfer(ion)	custom(s)

Nofelau hanesyddol yw pedair nofel gyntaf Marion Eames, a hanes a ysbrydolodd y bumed hefyd. Yn ystod yr ugeinfed ganrif, cafodd nifer dda o nofelau hanesyddol eu hysgrifennu yn Gymraeg. Mae'n bosibl bod llawer o ddarllenwyr nofelau Cymraeg wedi dysgu mwy am hanes Cymru drwy ddarllen y llyfrau hyn nag yn yr ysgol.

Mae Y Stafell Ddirgel wedi cael ei dewis i gynrychioli'r dosbarth hwn o nofelau yn y llyfr hwn. Os hoffech ddarllen nofelau hanesyddol eraill, chwiliwch am lyfrau gan R. Cyril Hughes (am Gatrin o Ferain), Rhiannon Davies Jones (er enghraifft Eryr Pengwern, hanes y brwydro ar ororau Cymru yn y seithfed ganrif), neu Dyddgu Owen (er enghraifft Y Flwyddyn Honno, hanes cyfnod y Rhyfel Cartref). Mae tair nofel Rhydwen Williams yn y gyfres Cwm Hiraeth (Y Briodas, Y Siôl Wen, a Dyddiau Dyn) wedi eu gosod mewn cyfnod mwy diweddar – hanes teulu yn symud o Ogledd Cymru i Gwm Rhondda ac yna'n ôl i'r Gogledd ymhen amser. Nofelau hanes wedi eu gosod yn hanner cyntaf y ganrif hon yw rhai o nofelau Kate Roberts a T. Rowland Hughes hefyd wrth gwrs.

Marion Eames (ganwyd 1921) Cafodd ei magu yn Nolgellau. Astudiodd y piano a'r delyn yn y Guildhall yn Llundain. Bu'n gynhyrchydd radio gyda BBC Cymru.

Wrth ysgrifennu nofel hanes, mae awdur yn gallu dewis ysgrifennu am gymeriadau dychmygol a'u gosod mewn cefndir hanesyddol dilys, neu ddewis ysgrifennu am gymeriadau hanesyddol. Mae'r nofelydd, wrth gwrs, yn ychwanegu elfennau dychmygol, yn gymeriadau a digwyddiadau. Bydd hefyd yn ceisio rhoi digon o liw'r cyfnod yn y nofel. Un ffordd o wneud hyn yw sôn am arferion y cyfnod. Gwnaeth Marion

Eames hynny yn *Y Stafell Ddirgel* trwy ddisgrifio'r ffeiriau, y Plygain, dathlu Calan Mai, y 'Cadi Ha' ac yn y blaen. Un o arferion mwyaf anwaraidd cyfnod y nofel oedd boddi gwrachod, a dyna yw prif olygfa pennod gyntaf *Y Stafell Ddirgel*.

Cefndir hanesyddol *Y Stafell Ddirgel*

Mae'r nofel yn dechrau â'r frawddeg 'Daeth y canu a'r dawnsio yn ôl i Ffair Dynewid y flwyddyn honno'. Y flwyddyn yw 1672 a 'Bu Siarl, Y Brenin Llawen, ar yr Orsedd ers deuddeng mlynedd'. Cyn hynny, yng nghyfnod Oliver Cromwell, roedd y Piwritaniaid yn gwgu ar bleserau'r werin, fel dawnsio, ymladd ceiliogod, a'r fedwen haf. Yn ystod y ganrif hon hefyd daeth llu o sectau crefyddol newydd i'r amlwg. Un o'r sectau hynny oedd sect y Crynwyr oedd yn credu bod y gwir, neu'r goleuni 'oddi mewn' i bob person. Doedden nhw ddim felly yn credu bod eglwysi, a gwasanaethau

eglwysig ffurfiol yn bwysig. Roedd cyfnodau yn ystod y ganrif pan oedd y Crynwyr a sectau eraill yn cael llonydd i addoli, a hyd yn oed i bregethu a chyhoeddi llyfrau. Yng Nghymru, roedd gan Forgan Llwyd o Wynedd syniadau tebyg i syniadau'r Crynwyr. Roedd e'n credu bod y 'Llais a'r Goleuni sydd o'r tu fewn' yn bwysicach na'r Beibl nac eglwys ffurfiol. Ysgrifennodd Morgan Llwyd un o glasuron y Gymraeg, sef *Llyfr y Tri Aderyn*.

Ond erbyn cyfnod *Y Stafell Ddirgel*, roedd pethau wedi newid. Ar ôl cyfnod byr o oddefgarwch, roedd pobl yn dechrau amau bod gan y Brenin a'i deulu dueddiadau Pabyddol, a bu erlid ar bobl nad oedden nhw'n ffyddlon i Eglwys Loegr. Roedd y Crynwyr yn gwrthod tyngu llwon ac felly'n gwrthod tyngu llw o ffyddlondeb i'r Brenin, a bu'r erlid arnyn nhw yn ardal Dolgellau yn arbennig o greulon. Dyna gefndir *Y Stafell Ddirgel*.

Ffermdy Bryn Mawr ger Dolgellau – cartref Rowland Ellis, y Crynwr (Archifdy Gwynedd)

G E I R F A

ymfudo	*to emigrate*
cynrychiolydd	*representative*
difrifol	*serious*
gwrthdaro	*conflict*
daliadau	*beliefs*
bydol	*worldly*
anghyfrifol	*irresponsible*
hunanol	*selfish*
perthynas	*relationship*
prudd	*sad*

Y cymeriadau a'r stori

Mae rhai o brif gymeriadau *Y Stafell Ddirgel* yn gymeriadau hanesyddol. Roedd y prif gymeriad, Rowland Ellis (1650-1731) yn uchelwr o ardal Dolgellau. Ymfudodd i America yn 1686. Daeth yn gynrychiolydd dros Philadelphia yng 'nghyngor' Pennsylvania. Cyfieithodd *Annerch i'r Cymry*, gwaith Ellis Puw, ei was yn y nofel, i'r Saesneg. Mae enw ei hen gartref, Bryn Mawr, yn enw ar goleg adnabyddus i ferched ym Mhennsylvania. Mae'r nofel yn sôn hefyd am lu o gymeriadau hanesyddol eraill, yn arbennig Crynwyr, Saeson fel George Fox (sylfaenydd y Crynwyr) a William Penn, a Chymry fel Thomas Lloyd Dolobran a Siôn ap Siôn, a oedd yn ddisgybl i Morgan Llwyd.

Dyn sensitif, difrifol ei ysbryd yw Rowland Ellis y nofel. Ar ddechrau'r nofel mae newydd briodi Meg, sy'n disgwyl ei phlentyn cyntaf. Mae'n amlwg o'r dechrau bod Rowland a Meg o natur wahanol ac yn fuan iawn mae'r gwrthdaro rhwng daliadau crefyddol Rowland a natur fydol, anghyfrifol a hunanol Meg yn creu tyndra. Y berthynas yma rhwng Rowland a Meg sy'n dod â'r brif elfen o dyndra i ran gyntaf y nofel. Hyd yn oed cyn i Rowland ymuno â'r 'Cyfeillion' rydyn ni'n cael ein paratoi ar gyfer hyn. Yn y bennod gyntaf, mae Rowland yn sgwrsio â'i was newydd, Ellis Puw, am waith Morgan Llwyd ac, yn y cefndir, clywn Meg yn canu hen alaw Gymreig gyda'r delyn:

I ba beth y byddaf brudd?
Ie, pam y byddaf brudd?
I ba beth y byddaf brudd
A throi llawenydd heibio?

Marion Eames yn ymweld â'r Bryn Mawr yn Pennsylvania – cafodd ei enw ei newid i Harriton yn y 18fed ganrif (Marion Eames)

Mae Rowland hefyd yn gwybod y basai, petai'n troi at y Crynwyr, yn colli Meg, sy'n casáu unrhyw fath o Biwritaniaeth. Ar y dechrau, mae'n ceisio gwrthsefyll eu hapêl – mae ganddo ormod o lawer i'w golli:

Bryn Mawr, safle cymdeithasol fel mân sgweier yn ymhyfrydu yn ei achau nobl, llyfrau, a'r hyn a ddysgasai yn yr ysgol yn Amwythig i ddifyrru ei oriau hamdden, parch ei gymdogion – a Meg.

Gwyddai i sicrwydd pe gwyrai ef gam oddi wrth y patrwm hwn, y collid Meg iddo am byth.

Dyna sy'n digwydd wrth gwrs. Wedi iddo ymuno â'r Crynwyr mae Meg yn mynd yn bellach ac yn bellach oddi wrth Rowland, a hynny yn y diwedd sy'n arwain at ei marwolaeth ar ddiwedd rhan gyntaf y nofel, wrth iddi roi genedigaeth i'w hail blentyn.

Mae ail hanner y nofel yn dechrau gyda dyweddïad Ellis Puw a Dorcas. Ond mae mwy a mwy o sôn hefyd am ddigwyddiadau sy'n bygwth y Crynwyr a'u teuluoedd. Mae Robert Owen, Dolserau, yn ôl yn y carchar, a Rowland Ellis yn dod yn arweinydd naturiol i'r Crynwyr sy'n dal yn

rhydd. Wrth i Sais o Grynwr, Jeremy Mellor, a Rowland bregethu yn y ffair, mae'r dorf feddw yn ymosod arnyn nhw. Mae hyn yn arwydd o erlid gwaeth i ddod. Wrth sôn am y digwyddiadau hyn yn ardal Dolgellau, mae Marion Eames yn eu cysylltu â'r erlid ar Grynwyr Lloegr yn yr un cyfnod. Ac am y tro cyntaf, rydyn ni'n clywed am William Penn, ac am ei gynlluniau i sefydlu gwladfa yng Ngogledd America.

Mae'r awdurdodau'n chwilio am Ellis Puw a daw cwnstabliaid i Fryn Mawr, gan fygwth Dorcas. Cyn hir, mae Ellis yn y carchar, a Dorcas druan yn marw o effeithiau triniaeth yn y 'Gadair Goch'. Aros ei dro y mae Rowland hefyd ac un noson daw Lisa'r forwyn yn ôl a chael y tŷ mewn llanast, y ddwy ferch fach ar eu pennau eu hunain yn y llofft, a Malan, y brif forwyn, yn farw. Mae'r milwyr wedi bod yno a Rowland yn carchar gyda nifer fawr o'i gyd-Grynwyr. Daw rhan yma y nofel i ben ag achos llys dramatig – gor-ddramatig efallai.

Ond mae'r erlid mawr yn dod i ben wedi hyn a gweddill y nofel yn trafod ail briodas Rowland â'i gyfnither, Margaret Owen, Dyffrydan,

GEIRFA

gwrthsefyll	to withstand
safle	status
ymhyfrydu	to delight in
achau	pedigree
a'r hyn a ddysgasai (yr hyn roedd e wedi ei ddysgu)	what he had learnt
Amwythig	Shrewsbury
difyrru	to entertain, while away time
parch	respect
gwyro	to stray, to veer
y collid Meg (colli)	that Meg would be lost (to lose)
rhoi genedigaeth	to give birth
dyweddïad	engagement
gwladfa	colony
bygwth	to threaten
y Gadair Goch	the 'ducking stool'
llanast	mess

Harriton (Marion Eames)

49

gor-	over-
sefydlog	stable
Arbrawf Sanctaidd	Holy Experiment
talaith	state
awyddus	eager
dadansoddi	to analyse
rhin	essence
gwanhau	to weaken
sefydlu	to found
rhandir	colony
gweini	to serve (as a maid)
Penbedw	Birkenhead
ysgogi	to inspire, to stimulate
athrylithgar	brilliant
cofiannydd	biographer

a'r cyfnod mwy sefydlog i'r Crynwyr yng Nghymru a Lloegr. Ond o hyn ymlaen rydyn ni'n clywed mwy a mwy am yr 'Arbrawf Sanctaidd', a mwy hefyd am y cynllun i gadw'r Cymry gyda'i gilydd mewn un dalaith. Daw Siôn ap Siôn a Thomas Lloyd Dolobran i Fryn Mawr i weld Rowland a Marged, a'u neges yw bod Penn wedi cael darn mawr o dir yn Lloegr Newydd rhwng Massachusetts a Virginia. Mae'n awyddus i werthu darnau i'r Cyfeillion. Y tro yma, mae'n amlwg bod Rowland yn cael ei demtio, a Marged yw'r un sy'n dadansoddi'r sefyllfa yn ddeallus. Mae'n gweld y rhannu a'r gwanhau sy'n siŵr o ddigwydd – rhai'n mynd ac eraill yn aros ar ôl. Os am aros yn gryf, 'rhaid i ni gyd fynd'. Mae Marged mor ddeallus a synhwyrol ag roedd Meg yn wyllt ac anghyfrifol. Mae Rowland yn penderfynu anfon ei was a'i forwyn, Tomos a Lisa, o'u blaenau, ac mae'r nofel yn diweddu ar nodyn trist wrth i Marged a Rowland ffarwelio â nhw yn harbwr Aberdaugleddau.

Mae rhin ein bro ni ar fwrdd y llong yna. Y golled ... O! y golled ...

Ond er y tristwch, mae 'na edrych ymlaen at fyd newydd, ac yn ei hail nofel, *Y Rhandir Mwyn*, mae Marion Eames yn dilyn hanes sefydlu'r Rhandir Cymraeg ym Mhennsylvania.

Ysgrifennodd Marion Eames y nofelau hyn:

Y Stafell Ddirgel, 1969 – am yr erlid ar y Crynwyr yn yr ail ganrif ar bymtheg (17g)

Y Rhandir Mwyn, 1972 – hanes sefydlu'r Rhandir Cymraeg ym Mhennsylvania

I Hela Cnau, 1978 – am fywyd merch ifanc a aeth i weini i Benbedw ddechrau'r ganrif hon

Y Gaeaf Sydd Unig, 1982 – hanes cyfnod Llywelyn ap Gruffudd, y 'Llyw Olaf'

Seren Gaeth, 1985 – cafodd ei hysgogi gan hanes Morfydd Llwyn Owen, y cerddor athrylithgar o Drefforest ger Pontypridd a fu farw'n 27 oed yn 1918 ac a oedd yn briod ag Ernest Jones, cofiannydd Freud

Y Ferch Dawel, 1992 – nofel am ferch ifanc sy'n chwilio am ei mam; nid nofel hanesyddol yw hon

O'r Harbwr Gwag i'r Cefnfor Gwyn – Robin Llywelyn
1994

Nofelau diweddar

Teitl nofel gyntaf Robin Llywelyn – a enillodd y Fedal Ryddiaith yn yr Eisteddfod Genedlaethol yn 1992 – oedd *Seren Wen ar Gefndir Gwyn*. Basai rhai'n dweud bod Robin Llywelyn ei hun yn seren ddisglair ar gefndir eithaf llachar. Dydy hanes y nofel Gymraeg ddim yn hir, ond yn ystod ail hanner yr ugeinfed ganrif (20g) mae nifer o lenorion wedi ysgrifennu nofelau da, pobl fel Jane Edwards, Eigra Lewis Roberts, Aled Islwyn, Alun Jones, Harri Pritchard-Jones ac Angharad Tomos. Roedd rhaid dewis un i gynrychioli llawer. Ac yn sicr mae Robin Llywelyn wedi gwneud argraff fawr yn ystod y tair neu bedair blynedd diwethaf.

Dwy nofel – dwy fedal

Erbyn hyn, mae Robin Llywelyn wedi ennill y Fedal Ryddiaith (prif wobr rhyddiaith yr Eisteddfod Genedlaethol) ddwywaith – yn 1992 gyda *Seren Wen ar Gefndir Gwyn* – ac yn 1994 gyda *O'r Harbwr Gwag i'r Cefnfor Gwyn*. Mae'r nofelau hyn yn apelio'n fawr at rai darllenwyr – pobl sy'n hoffi storïau llawn dychymyg a ffantasi, hud a lledrith, ac yn barod i dderbyn digwyddiadau afreal ac arallfydol fel petaen nhw'n darllen stori dylwyth teg, stori am freuddwyd neu chwedl o'r Oesoedd Canol. Mae pobl eraill wedi methu mynd ymhellach na'r penodau cyntaf!

Taith ac ymchwil

Pan gafodd *Seren Wen ar Gefndir Gwyn* ei chyhoeddi cafodd Robin

Robin Llywelyn yn ennill y Fedal Ryddiaith yn 1992 (Eisteddfod Genedlaethol Cymru)

GEIRFA

tlysau	gems
Twrch Trwyth	fabled wild boar, once a prince
cyflwr	condition
lles	benefit
gwerthoedd	values
syllu	to stare
hynod	remarkable
hanfod	essence
dan warchae	under seige
gwallgof	mad, zany
direidus	mischievous

Llywelyn ei gymharu â Tolkien, Kafka, ac awdur yr hen chwedl Gymraeg 'Culhwch ac Olwen'. Hanes taith yw *Seren Wen* yn y bôn, taith ac ymchwil – *quest* – fel ymchwil Culhwch yn 'Culhwch ac Olwen' am y tlysau rhwng clustiau'r Twrch Trwyth a fyddai'n caniatáu iddo briodi merch y cawr. Hanes ymchwil sy yn *O'r Harbwr Gwag i'r Cefnfor Gwyn* hefyd – yr un syniad, hen hen syniad, mai taith yw bywyd, a'n bod yn symud o un cam i'r nesaf yn chwilio am rywbeth, am rywun, am stad neu gyflwr arbennig, yn cael ein profi fel hen arwyr y chwedlau ar hyd y daith, yn cael help gan rai a chael ein rhwystro gan eraill, ac yn cyrraedd o'r diwedd, gobeithio – yn llwyddo i ennill gwobr i ni ein hunain, a dod â lles i eraill yr un pryd.

Lefelau gwahanol

Ond fel y dywedodd beirniaid cystadleuaeth y Fedal Ryddiaith yn 1994, mae *O'r Harbwr Gwag i'r Cefnfor Gwyn* – fel *Seren Wen ar Gefndir Gwyn* – yn gweithio ar fwy nag un lefel. Mae hi'n 'stori serch dyner a hyfryd'. Mae 'dimensiwn gwleidyddol' iddi hefyd. Mae ymchwil Gregor Marini yn mynd â fo i'r Gogledd Dir, lle mae pobl wedi ceisio cadw'r hen ffordd o fyw, a gwarchod yr hen 'chwedlau'. Efallai bod y 'chwedlau' yma yn symbol am yr iaith Gymraeg, neu'n symbol mwy cyffredinol am yr hen werthoedd, neu am y gwirionedd. Mae twristiaid yn dod o bob man i syllu ar y bobl hynod yma a'u ffordd od o fyw. Ac mae'r cyfan mewn perygl. Tasg Gregor yw amddiffyn hanfod y ffordd yma o fyw – dod â'r 'chwedlau' yn ôl yn ddiogel i'w feistr, y Du Traheus.

Ar y ffordd yn ôl i'r ddinas, sydd dan warchae, rydyn ni'n cael darlun sy'n rhoi dimensiwn arall eto i'r nofel – darlun tebyg i ddarlun o ddinas Sarajevo'n cael ei dinistrio. Ond nid nofel ddiflas a thrwm ydy hi. Mae hi'n llawn o ramant, o ddigwyddiadau anhygoel, o gymeriadau gwallgof, o hud a lledrith, o hiwmor direidus, ac mae'r stori gyfan yn symud mor gyflym ac mor llawn o ddychymyg nes ei bod yn anodd ichi stopio i gymryd eich gwynt wrth ei darllen!

Realaeth a ffantasi

Rhan o apêl y nofel yw'r cymysgu rhwng realaeth a ffantasi, fel tasai'r awdur yn disgrifio breuddwyd, neu fel mewn stori dylwyth teg neu chwedl, neu fel mewn rhai rhaglenni comedi *zany* ar y teledu! Un funud mae Gregor yn 'chwythu ar ei lobsgows' yn y 'caffi dros lôn' a'r funud nesaf mae yng nghanol sgwrs hollol afreal gyda'r 'llencyn pengoch' gwallgof. A chyn hir mae'n trafod chwedlau'r Gogledd Dir gyda'r Du Traheus.

Mae'r nofel yn debyg i freuddwyd hefyd yn y ffordd mae hi'n symud o un cyfnod i'r llall yn ddi-rwystr. Dydy amser ddim yn ddimensiwn sy'n cyfrif llawer. Yng ngeiriau'r Du Traheus,

> Fydda' i'n teimlo weithiau fel can mlynedd yn ôl ac weithiau fel can mlynedd ymlaen, mil o flynyddoedd, pa wahaniaeth? Cylch ydio i gyd, fel glaw. Peth yn felys a pheth yn hallt. A dim ond hyn rwan sy'n wir.

Robin Llywelyn wrth ei waith ym Mhortmeirion (Golwg/Keith Morris)

GEIRFA

llencyn	*lad*
di-rwystr	*unhindered*
hallt	*salty*

GEIRFA

gwrthrych(au)	object(s)
mysg = ymysg	amongst
galluoedd goruwchnaturiol	supernatural powers
glain neidr	snake-shaped jewel
arddull	style
tafodiaith	dialect
llenyddol	literary
cyfleu	to convey
yn gyson â	consistent with
cymerais gip	I glanced
gynnau	just now
sgin ti = sy gen ti	
ar y gweill	'on the knitting needles', i.e. on the go
cofnodi	to record, to catalogue
yr wyddor	the alphabet
'Gorau cofnod, cofnod cof'	memory is the best record
rhywbeth ar hugain	twenty something

Hynny yw, mae byd y dychymyg yr un mor real, neu afreal, i'r nofelydd â bywyd bob dydd diwedd yr ugeinfed ganrif. Rydyn ni'n cael ein symud o un lle i'r llall hefyd fel mewn breuddwyd. Weithiau mae pethau, gwrthrychau fel y botwm arian a'r llyfr cyfeiriadau, yn gallu symud o un byd i fyd arall, o un amser i un arall. Mae'r Du Traheus yn gymeriad sy â throed mewn dau fyd, mewn sawl cyfnod, ac mewn ffordd, fo yw canolbwynt y nofel. Mae'n perthyn i'r Gogledd Dir, 'mysg llefydd eraill', ond er ei fod yn ddewin â galluoedd goruwchnaturiol, mae'n garcharor yn y llyfrgell yn 'y Ddinas'. Tasg Gregor yw helpu i gael y chwedlau a'r glain neidr yn ôl a rhyddhau y Du Traheus.

Arddull

Mae Robin Llywelyn wrth ei fodd yn disgrifio cymeriadau fel y Du Traheus. Mae'n defnyddio sawl math o arddull i wneud hynny a llawer o hiwmor, fel mae'r darnau sy'n dilyn yn dangos. Sylwch ar y dafodiaith yn gymysg â iaith fwy llenyddol a rhamantaidd. Sylwch hefyd ar yr hiwmor sych sy'n cyfleu'r cymeriad. Dydy'r Du Traheus ddim wedi egluro wrth Gregor pa waith i'w wneud yn y

llyfrgell – mae hynny'n gyson â'i gymeriad hollol egsentrig, ac â phatrwm 'gwallgof' neu zany y stori; felly mae Gregor wedi bod yn ceisio catalogio'r llyfrau heb help a heb unrhyw brofiad o gwbl. Un dydd mae'r Du Traheus, ei feistr, yn digwydd edrych ar ei waith:

Cymerais gip ar dy waith a chdithau'n absennol gynnau. Be ydi hyn sgin ti ar y gweill yma?'

'Cofnodi'r adran syr. Un cardyn i bob llyfr, un blwch i bob llythyren o'r wyddor. Mae gen i'n barod dros bum mil wedi eu cofnodi ichi.'

'Gorau cofnod, cofnod cof,' meddai'r Du Traheus. 'Pum mil, ia?'

'Ia syr.'

'Ac mi wyt tithau'n rhywbeth ar hugain?'

'Saith, syr.'

'Wel, mi fydd yn rhaid iti fyw i fod yn dri chant a phymtheng mlwydd oed felly cyn cei di orffen.' Gosododd y cardyn cofnodi'n ofalus ar y bwrdd. 'Well imi beidio dy gadw di.'

Ond mae'r naws yn newid yn llwyr gyda chwestiwn nesaf Gregor.

'Syr,' meddai Gregor a fyntau'n ei wasgu ei hun y tu ôl i'w ddesg, 'ydi holl fytholeg y byd yn fan hyn?'

'Nacdi,' atebodd y Du Traheus.

'Dim ond geiriau sy'n fan hyn. Maen nhw'n trio fy nghael i ildio'r gweddill, ond mae fy ngeiriau i'n dŵad o'r Gogledd Dir. Chymeran nhw mo'u rhwydo a'u dal rhwng cloriau. Mae'n geiriau ni'n licio chwarae ar yr awel. Maen nhw'n hel yng ngheseiliau'r nentydd ac yn llenwi'r holl ddyffrynnoedd. Tydi'r awdurdodau ddim yn licio meddwl am bethau felly, nacdyn? Wyddost ti be ydi glain neidr? Wyt ti'n dallt mai dy waith di ydi fy helpu i? Wyt ti?'

'Wel,' meddai Gregor, heb ddallt dim byd. 'Chi 'di'r bòs.'

Mae'r Du Traheus yn mynd yn hollol ddifrifol wrth sôn am y geiriau, a bron yn ffrantig. A dydy Gregor yn 'dallt dim byd' – dydy o ddim yn dallt nad catalogio llyfrau ydy'r help y mae'n rhaid i'r Du Traheus ei gael. Ond yn y pen draw, mae Gregor yn helpu'r hen ddyn trwy fynd ar daith drosto i'r Gogledd Dir, a heb sylweddoli beth mae'n ei wneud yn iawn, mae'n dod â'r chwedlau a'r 'glain neidr' yn ôl iddo. Yn y Gogledd Dir hefyd mae'n dod o hyd i Iwerydd, y ferch y mae wedi ei gweld yn ei freuddwydion (fel y gwelodd Macsen Wledig – yr Ymherodr Rhufeinig Magnus Maximus – ferch hardd yn ei

freuddwyd yn ôl yr hen chwedl Gymraeg, a dod yr holl ffordd i Gymru i chwilio amdani). Mae Gregor yn dod ag Iwerydd yn ôl, yn ei cholli eto, a'r tro yma mae'r Du Traheus yn helpu Gregor i chwilio amdani.

Cymeriadau anhygoel a gwrth-arwrol

Rhan arall o apêl y nofel yw'r cymeriadau anhygoel – a'u henwau sydd yr un mor rhyfedd. Y trempyn Llygad Bwyd, er enghraifft, a'i wraig Mrs Laban a'i mab, y bwystfilaidd Adam Laban; a Petrog Spalpin a Dail Coed. (Enwau rhyfedd? Yn ôl Robin Llywelyn mae nifer ohonyn nhw, gan gynnwys 'Adam Laban' a 'Llygad Bwyd', yn enwau ar bobl go-iawn – gwelodd nhw mewn llyfr o'r enw The Caernarvon Court Rolls ac roedden nhw'n bobl a oedd wedi ymddangos yn y llys barn yng Nghaernarfon yn y bedwaredd ganrif ar ddeg [14g.].) Yn eu ffyrdd eu hunain, maen nhw i gyd yn helpu Gregor, er bod rhai ohonyn nhw'n gwneud eu gorau i'w rwystro. Yn wir, rydyn ni'n cael yr argraff bod Gregor yn siŵr o lwyddo er gwaethaf pawb a phopeth. Hyd yn oed pan fydd pethau anffodus yn

GEIRFA

tuag at y nod	towards the target
yn hytrach na	rather than
ymdrech	effort
annigonol	inadequate
di-glem	clueless
cynifer	so many
cyfanwaith	a whole, a complete work
gwyrth	miracle
plethu	to entwine, to weave
etifeddu	to inherit
pensaernïol	architectural
gwerin	ordinary people

digwydd iddo, mae bywyd yn symud yn ei flaen tuag at y nod. Mae Gregor yn llwyddo rywsut er ei waethaf ei hun hefyd yn hytrach nag oherwydd ei allu neu ei ymdrech. Mae'n fath o 'wrth-arwr' – dyn bach cyffredin, annigonol a di-glem yng nghanol cymeriadau a digwyddiadau rhyfeddol a goruwchnaturiol. Tebyg iawn i'r rhan fwyaf ohonon ni mewn gwirionedd. Roedd hynny'n wir am rai o gymeriadau'r hen chwedlau hefyd. Realaeth lwyr yng nghanol ffantasi lwyr.

Cyfanwaith Crefftus

Mae cynifer o elfennau gwahanol yn y nofel, mae'n wyrth bod yr awdur wedi llwyddo i blethu'r cyfan at ei gilydd i wneud un cyfanwaith. Mae rhai'n dweud ei fod wedi etifeddu dawn bensaernïol ei daid, Clough Williams-Ellis, crëwr pentref Eidalaidd Portmeirion. Efallai ei fod wedi etifeddu peth o'i natur ramantaidd ganddo hefyd. Gan werin Eifionydd y cafodd ei dafodiaith fendigedig, a'i addysg coleg a roddodd ei wybodaeth o hen chwedlau Cymru, Iwerddon a Llydaw iddo. Ond roedd angen dychymyg go arbennig i ddod â'r cyfan at ei gilydd.

Hwylio 'Mlaen

Cyhoeddwyd eisoes yn y gyfres hon:

Teitlau eraill i'w cyhoeddi'n fuan!
Am restr gyflawn o'n cyhoeddiadau, mynnwch gopi o'n catalog newydd,
lliw-llawn, 48-tudalen: ar gael yn rhad ac am ddim gyda throad y post!